永远不要失去希望，这是生存技能的基石。除此之外，野外生存的第一条法则就是永远要保持微笑，只要你活着就还有希望。

——贝尔·格里尔斯

任务：生存
地点：南非草原
危险：偷猎者、非洲野犬、火灾
求生工具：椅子腿、骨头、树枝帐篷、泥巴

[英] 贝尔·格里尔斯 著 王 旸 译

黑犀草原的绝地反击

HEIXI CAOYUAN DE JUEDI FANJI

桂图登字: 20-2014-092

图书在版编目（CIP）数据

黑犀草原的绝地反击/（英）格里尔斯著；（美）王旸译. 一南宁：接力出版社，2014.12
（荒野求生少年生存小说系列）
书名原文：MISSION SURVIVAL：RAGE OF THE RHINO
ISBN 978-7-5448-3718-7

Ⅰ.①黑…　Ⅱ.①格…　②王…　Ⅲ.①儿童文学-长篇小说-英国-现代　Ⅳ.①I561.84

中国版本图书馆CIP数据核字（2014）第259569号

策划人：王　津　　责任编辑：于海宝　　文字编辑：熊　隽
美术编辑：卜翠红　　责任校对：贾玲云　　责任监印：刘　冬
版权联络：张耀霖　　媒介主理：耿　磊
社长：黄　俭　　总编辑：白　冰
出版发行：接力出版社　　社址：广西南宁市园湖南路9号　　邮编：530022
电话：010-65546561（发行部）　　传真：010-65545210（发行部）
http：//www.jielibj.com　　E-mail：jieli@jielibook.com
经销：新华书店　　印制：北京盛源印刷有限公司
开本：880毫米×1250毫米　1/32　　印张：7.125　　插页：4　　字数：130千字
版次：2014年12月第1版　　印次：2014年12月第1次印刷
印数：000 001—120 000册　　定价：22.00元

CONTENTS

目 录

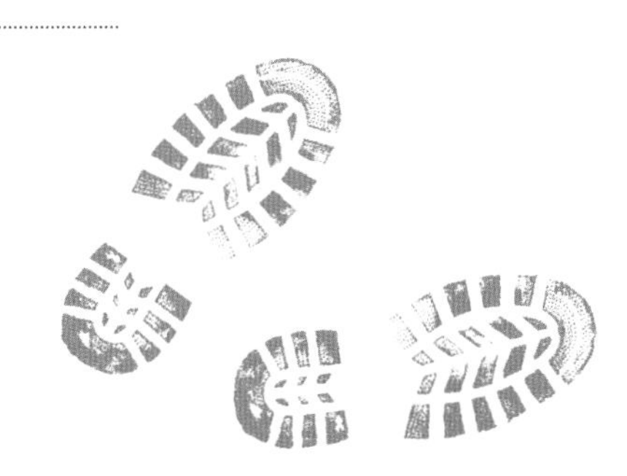

致世界各地的童子军：享受你们的生活，
体验所有探险吧。永远遵循童子军法则，
这能够帮助你们发挥全部潜力。

尊敬你们的
贝尔·格里尔斯

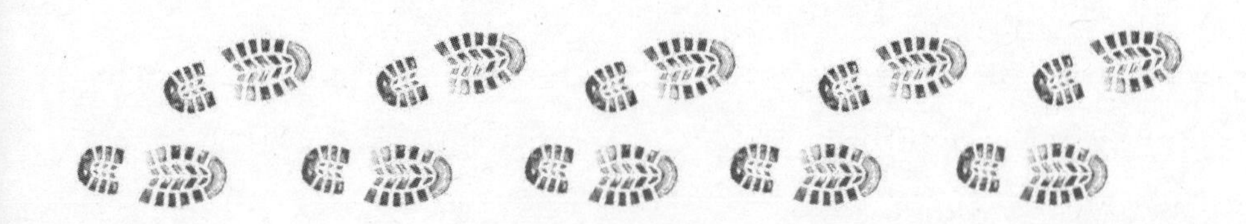

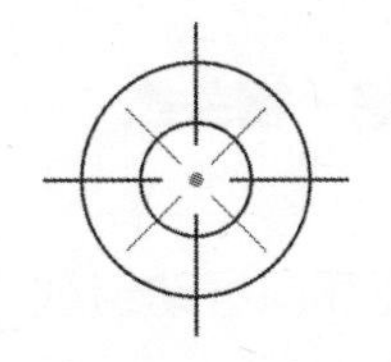

登场人物介绍

贝克·格兰杰

贝克虽然只有十四岁，但他对野外生存的了解比很多军事专家还要多。在贝克还小的时候，他跟着自己的父母前往从南极到非洲等世界上最偏远的地区，沿途的居民教会了贝克很多生存技能。

阿尔伯伯

艾伦·格兰杰爵士不但是一名教授，还是世界上最有名的人类学家之一。格兰杰教授因为担任真人秀的评委而在英国家喻户晓。但对贝克来说，他只是阿尔伯伯——他更愿意在自己的实验室做科研，而不是和名流贵族谈笑风生。阿尔伯伯相信人生最宝贵的两大法宝是“耐心”和“坚持”。作为监护人，阿尔伯伯已经照顾了贝克很多年，而贝克则把阿尔伯伯称为自己的父亲。

大卫 · 格兰杰和梅拉尼 · 格兰杰

贝克的父母曾担任环保行动组织“绿色力量”的特殊行动总监。他们曾带着贝克在世界上最偏远的地区生活。几年前，他们搭乘的小飞机神秘地在雨林中坠落。他们的尸体从未被发现，事故的原因也从未被解释……

萨穆拉 · 彼得森

萨穆拉从小在南非长大，和身为克鲁格国家公园守护员的父亲生活在一起。因此，萨穆拉对野生动物十分了解。在假期，她会帮助父亲研究大象迁徙的规律，并拯救犀牛及其他濒危动物。

第一章

生日蛋糕上的毛毛虫

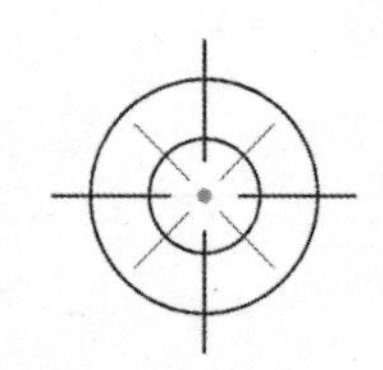

贝克·格兰杰走进厨房后，一眼就看到了一条毛毛虫，一条巨大的毛毛虫。

贝克停下了脚步。他弯下腰，仔细看着毛毛虫。毛毛虫一动不动。

贝克刚刚从学校回来。他扔下自己的书包，来到了厨房——毛毛虫就在厨房里。毛毛虫和贝克的前臂一样长。毛毛虫绿色的皮肤很厚，而且上面长满小刺。

毛毛虫的另一端是一个用杏仁蛋白软糖制作的笑脸。

贝克抬起了头，看了眼阿尔伯伯。

“哈，哈。”

“我本以为你会喜欢这条虫子，贝克！”

阿尔伯伯——外人称他为艾伦·格兰杰教授——用火柴点燃了毛毛虫身上的刺——这些刺都是蜡烛。毛毛虫身

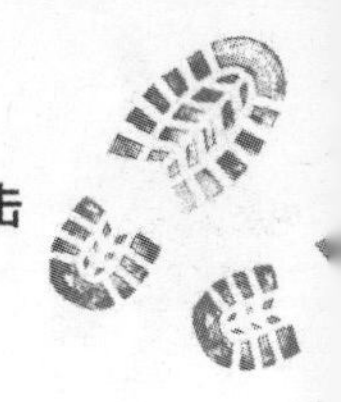
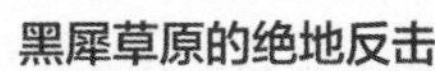

上有十四根蜡烛。“这是为了纪念这十四年来被你吃掉的所有的虫子。”

“嗯。谢谢你提醒我。”

阿尔伯伯晃动手腕熄灭了火柴，然后拥抱贝克。贝克也抱住了阿尔伯伯。

“生日快乐！我不得不说，有几次我觉得我们可能没有机会等到这一天了。”

阿尔伯伯虽然说得轻描淡写，但贝克可以感受到这句话背后他所承受的煎熬。生日对贝克来说并不重要——它们只是自然地一天天到来。不过阿尔伯伯是对的，在贝克这十四年中，有几次他认为自己不会等到下一次生日了。

就在最近，贝克就发现有人企图让他活不到下一次天亮。因此，贝克或许比其他年轻人都应该庆祝这个生日。

在周末，贝克会和自己的朋友一起庆祝生日。现在的这一刻是为他和阿尔伯伯两个人预留的。

所有的蜡烛都被点亮了。

“要许愿吗？”阿尔伯伯问。

贝克想了想，然后弯下腰吹气。所有的蜡烛同时熄灭了。贝克也已经许了愿。

“让阿尔伯伯的朋友们动作快一点吧！”

最近的三个月对贝克来说是痛苦的，他不得不忍受一成不变的作息时间。

之前加勒比海的游轮之旅中发生了很多事情。贝克目睹了沉船、钻井平台爆炸、友人被谋杀。这是贝克第一次近距离接触到杀死自己父母并企图毁掉自己生活的机构：路莫斯。

贝克很久之前就知道路莫斯的存在。在贝克脑海中，路莫斯只不过是企图摧毁地球的诸多公司中的一个。路莫斯存在的唯一目的就是赚钱。但之前贝克并不知道路莫斯有多么恶劣——这家公司从内到外都充斥着邪恶。

贝克知道了路莫斯派出最高层的人员企图杀死自己，但他们失败了。贝克和阿尔伯伯回到了英国……但没有采取任何行动。

至少在贝克看来是这样的。他们知道关于路莫斯的真相，但他们不能证明任何事。他们需要能在法庭上使用的证据，但他们唯一的证据只不过是他们的经历。

阿尔伯伯有很多朋友为"绿色力量"这一环保组织工作。他们相信贝克的故事。阿尔伯伯告诉他们该如何收集关于路莫斯的证据。但搜集证据需要时间——大量的时间。另外，绿色力量还有其他很多项目，比如组织的本职——让全球的人们了解保护环境的重要性，和破坏环境的人进行斗争。

绿色力量无法把全部资源都投入到与路莫斯的斗争中，他们不能牺牲其他项目。

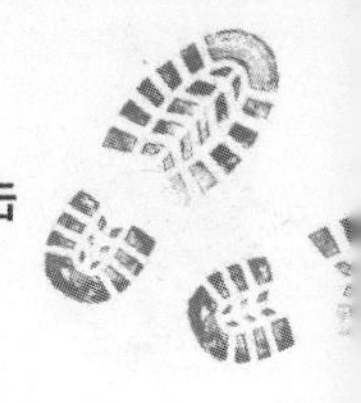

因此，在过了三个月后，和路莫斯的斗争还是没有结果，他们也不知道路莫斯何时会再次出现。

在很长一段时间里，阿尔伯伯在开车前往办公室之前，都会看看车里是否有炸弹，贝克则一直假装生病没有上学。

最终，他们认为路莫斯不会如此明目张胆。路莫斯暂时也不希望吸引他人的目光——如果贝克在刚刚和路莫斯打过交道后就猝死，这将对路莫斯的形象造成巨大的影响。

上一次，路莫斯在预谋杀死贝克之前，先把他骗到了国外。因此，贝克和阿尔伯伯只有待在家中，他们现在应该是安全的。

后来，贝克回到了学校，成为一名普通学生。但“普通”对于贝克来说就是一种折磨。

“看来你今年收到了不少贺卡啊！”

阿尔伯伯欢快的语气让贝克醒过神来。阿尔伯伯把一沓硬硬的信封递给了他。贝克翻了翻，希望通过上面的邮戳和邮票猜出是来自谁的信件。

一个信封上有澳大利亚的邮戳和袋鼠的邮票——这非常好猜，肯定是来自布兰虹妮的，虽然袋鼠看起来有些奇怪，因为她喜欢的可是咸水鳄鱼。在澳大利亚内陆寻找能够帮助他们和路莫斯斗争的老人时，鳄鱼只不过是他们遇

到的诸多危险之一。

一个信封上有阿拉斯加的邮票，上面画着潜入冰冷海水的虎鲸。这封信来自缇堪尼，他和贝克一起跨过冰山，营救了受了重伤的阿尔伯伯。在那次探险中，贝克第一次遭遇了路莫斯。

有着哥伦比亚邮票的信封来自克里斯蒂娜和马可。这对双胞胎和贝克一起经历了沉船，并和他一起深入雨林寻找毒枭的踪迹。

还有一封信没有邮票。信封上只有一个手绘的红毛猩猩，上面还写着：“嘿，贝克！”这封信一定是彼得送来的。他是贝克最好的朋友，就住在不远的地方。

彼得曾和贝克一起被困在了撒哈拉沙漠。在那里，他们躲过了凶狠的钻石走私者的攻击。这不是贝克和彼得的唯一一次探险，他们还在印度尼西亚的雨林里躲过了老虎和爆发的火山。在这两次探险后，彼得虽然还是很想和贝克一起度假，但他的父母不太愿意让儿子和贝克再在一起探险了。

突然，贝克的笑容变得有些暗淡。他想到有一个男孩的信件是自己无法收到的，他甚至都不知道詹姆斯·布雷克是否还活着。贝克最后看见詹姆斯时，他正在钻井平台上，哭泣着努力搬开压在他母亲身上的支杆。

他们来到钻井平台的原因更让贝克笑不出来了。路莫

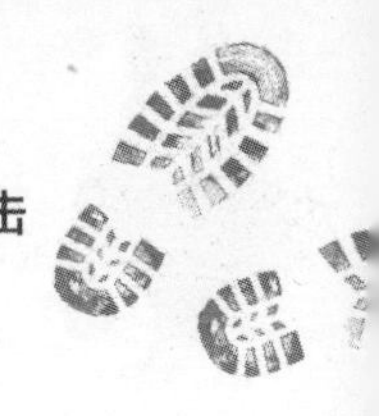

斯，路莫斯，路莫斯——无处不在的路莫斯。当时，路莫斯正企图从海床上开采一种全新的能源。这种能源能够为路莫斯带来巨大的利润，但与此同时也可能会破坏周围的环境。但路莫斯只关心利润。贝克是被詹姆斯的母亲带到路莫斯的钻井平台上的。詹姆斯的外祖父埃德温·布雷克是路莫斯的老板，是他命令詹姆斯的母亲去杀死贝克的。詹姆斯的母亲把贝克骗到了钻井平台上，企图在那里杀死他。

钻井平台之所以崩溃，是因为贪婪的路莫斯把平台建在了规模巨大的飓风的前进路径之中。而且，贝克也做了不少事情引发了爆炸，但他那么做纯粹是为了逃命。而且，如果路莫斯一开始没有想杀死贝克，那么他根本没有引发爆炸的必要……

越来越多的细节让贝克有些眩晕。

虽然詹姆斯的母亲想杀死贝克，但贝克还是想帮助詹姆斯救出他的母亲。贝克本想用行动告诉詹姆斯的母亲，并不是每个人都像她一样悲哀、变态、自私。但一个比贝克更高大、更强壮的人阻止了他。这个人把贝克抱了起来并扔进了直升机。很快，直升机起飞了，钻井平台爆炸了。

詹姆斯可能活了下来，但也可能葬身鱼腹。

贝克决定不再胡思乱想。他把注意力再次投到了生日

贺卡上。

还有一封信也是来自海外的，但贝克认不出来是谁的信，甚至认不出信封上的邮票。邮票上没有英文单词，在一个明显的“E”之外，有两个金字塔形状的字母，一个“A”，然后一个写错了的“3”。贝克抬起了眉毛，把信递给了阿尔伯伯。

“Hellas。”阿尔伯伯翻译说，“也就是希腊。”

“希腊？”贝克皱了皱眉，然后打开了信封，“我有在希腊生活的朋友吗？”

信封里是用英文写的一封信和一张卡片。贝克慢慢地读着用陌生的笔迹写的第一行字：

“亲爱的贝克，生日快乐！你可能不记得我，因为我们是在你很小的时候见面的。我的名字是阿西娜·萨普拉——”

阿尔伯伯睁大了眼睛。“天哪！阿西娜·萨普拉？那是很久之前的事情了！”

“她是谁？”

“一个我认识了很多年的朋友，一位热爱犀牛的女士。接着读下去——跟我来。”

在被阿尔伯伯带到起居室后，贝克把信一行行地念了出来。

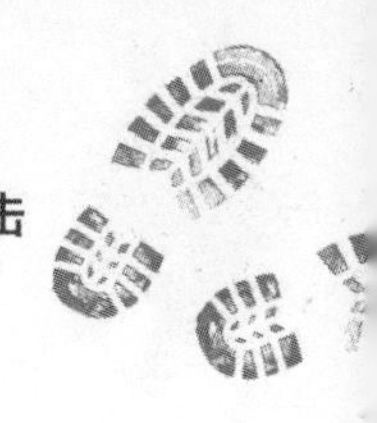
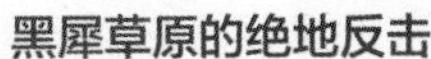

阿尔伯伯在自己存放老相册的柜子中搜寻着，贝克继续念着信。

“在非洲，我曾和你的爸爸妈妈、你的伯伯一起工作过很多年。”

贝克停了下来，看了眼还埋头在柜子中寻找相册的阿尔伯伯。“是真的吗？”贝克问。

“是真的。”阿尔伯伯的声音有些模糊，“继续念。”

“嗯。”贝克嘟囔着。他最近刚刚遇到一个曾和自己父母一起工作过的人，而那人企图杀死贝克——那是一名业余的杀手，但依然对贝克造成了威胁。在贝克看来，多年前认识自己父母的人不一定就是朋友。但贝克决定，他应该再给父母的朋友一次机会。他们不可能每个人都是坏人。

“我读到了很多关于你探险经历的新闻。看来你肯定是继承了你爸爸妈妈的才能！他们肯定会为你感到自豪的——”

“找到了。”阿尔伯伯把一个古老的相册放在桌上，然后翻到了其中一页。

在照片中，贝克一眼就看到了犀牛。犀牛占据了照片的绝大多数空间，它的体形和小型汽车相仿，身上披着厚厚的深色皮革，看上去就像盔甲。贝克觉得犀牛仿佛刚刚被麻醉，它把头放在前脚之间，仿佛一头在火炉前趴下的大狗。

在照片的一侧站着贝克的母亲，她仿佛刚刚走了过来。另一个女人蹲在犀牛的头部附近，正在查看犀牛的眼睛。这个女人的深色卷发充满了照片的边角。女人的脸是侧对相机的，仿佛她刚刚意识到有人在为她拍照。

阿尔伯伯用手指点了点照片中的女人。贝克一下子就懂了——她就是阿西娜。贝克继续读信：

“我马上就要再次回到南非，去继续研究克鲁格国家公园的犀牛。你可能听说过那里……”

贝克的确听说过克鲁格国家公园。那是南非最大的野生动物园，面积和一个小国差不多。

“不知你是否愿意前往那里？我觉得你肯定会觉得出名十分无聊……”

贝克露出了嘲讽的笑容，阿西娜说得太对了。一开始，探险没有给贝克带来太多的麻烦。但在澳大利亚的探险后，媒体发现了这个“永远能够在绝境中生存下来”的男孩——这是当时媒体用来形容贝克的词语。在那之后，贝克频频被纸媒、网媒和电视媒体采访。贝克一开始想好好利用自己的名气——他不断宣传绿色力量的宗旨和其他关于环保的理念。但过了一段时间后，他开始对此感到疲倦。采访问题一成不变，回答也永远都是一样的。每次采访也都以同样的方式结束：“贝克，你接下来要做什么？”对这个问题，贝克的答案是：“继续生存下去。”

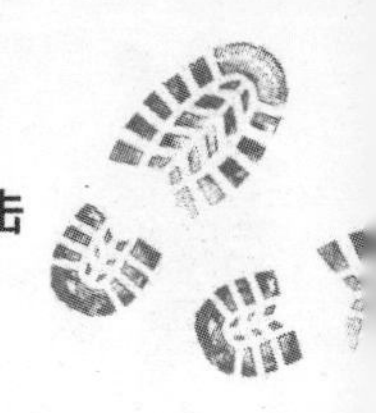

贝克继续念着信:“……我一直觉得，既来之则安之。你是绿色力量宣传‘抵制盗猎犀牛’的视频的最佳代言人。这种奇妙的动物面临灭绝的危险。全世界只有几千头犀牛，而黑色犀牛仅剩下几百头。如果我们现在不行动起来，以后就没有机会了。”

贝克接着阅读下面的内容。“这是关于盗猎的数据……”他吹了声口哨，“在2013年的上半年，428头犀牛被杀死。这相当于，嗯——”

“每个月都有超过70头犀牛被杀害。”阿尔伯伯低沉地说，“相当于每天都有超过2头犀牛被杀害。”

“嗯，她最后写道:‘我希望这能够引起你的兴趣。我的电子邮箱是……’”贝克抬起了眉毛，看着若有所思的阿尔伯伯，“你怎么看？”

“关键是你怎么看。”

贝克不希望继续被路莫斯追杀，但每天都有两头犀牛被偷猎者杀死……如果世界上只有几千头犀牛，按照这个速度，犀牛很快就会从这个世界上消失的。贝克不喜欢曝光，但正如阿西娜所说，与其抱怨自己出名这个事实，不如将自己的名声好好利用，他可以用自己的名气……

“我愿意帮她。”

“当然。但你有没有想过，离开英国，再次引起路莫斯的注意可能是你现在所能做的最愚蠢的选择……”

“为什么要让路莫斯知道？”贝克问，“我们可以保密。我不会在社交网站上公布我的每日计划。我可以悄悄地去南非，悄悄地拍摄视频，然后在路莫斯意识到我离开英国之前就回到这里。”

阿尔伯伯眯起了眼睛，思考了片刻。“你知道，这主意不错。好吧，给她回个邮件，告诉她你同意去南非。”阿尔伯伯轻轻拍了下贝克，“但不要告诉她我也要跟你去。让我们给她一个惊喜。”

“你也要去？”贝克吃惊了。

“当然。这一次我会紧紧地跟着你，你一个人的时候总会出问题！”

第二章

笔迹中的秘密

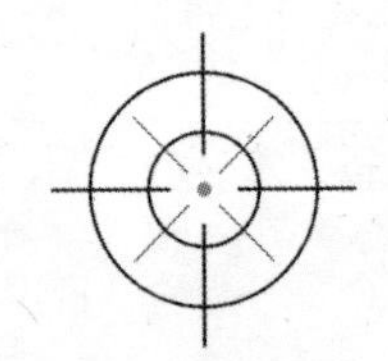

贝克和阿尔伯伯推着行李车从约翰内斯堡国际机场走了出来。贝克扫视着出口的人群，他看过几张阿西娜的照片，他觉得自己肯定能够认出她来。

实际情况比贝克想象中容易得多。他很快听到了阿西娜的叫声："阿尔！"

阿西娜挤过人群，来到了他们面前。"你这个坏人！你没说自己也要来！你肯定是贝克……你好！"

阿西娜身上的衣服和阿尔伯伯让贝克看的第一张照片中的几乎一模一样：方格图案的衬衫，裤腿很长的短裤——唯一不同的是，现在她额头的卷发已经有些灰白。阿西娜的眼睛是深棕色的，而她的笑容灿烂得让外太空的人也能看得见。

"很高兴见到你们！坐飞机还不太难受吧？你们来得正

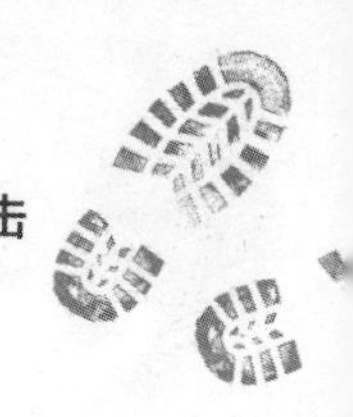

是时候——机场的工作人员正在计划罢工。来，往这边走。”

阿西娜和阿尔伯伯挽着手走在了前面，贝克只得推着行李跟在他们身后。前面人很多，贝克不得不经常变向以避免撞到人。有一次，一个人撞到了贝克，并把他推到了另一群人面前。贝克觉得自己仿佛是游戏中的弹球。终于，他们来到了机场的出口。

贝克觉得，自己总是在走出机场的那一刻才会觉得自己来到了外国。走出机场后，贝克才会真正吸入外国的空气——正常的户外空气，而不是空调的空气。那是穿越了无数大陆和海洋的自然空气。

现在，贝克觉得自己仿佛走到了一个巨大的吹风机面前。南非盛夏的空气十分干燥，完全没有湿度。现在时间还早，但阳光已经十分强烈。贝克快速戴上了自己的墨镜。

在停车场中，阿西娜找到了自己破旧的吉普车。吉普车的门上贴着绿色力量的标识。贝克和阿尔伯伯把行李放在了后备厢中。

“你们在飞机上睡着了吗？”

“没有。”阿尔伯伯嘟囔着。他从来都无法在飞机上入睡。

“睡得很好，谢谢！”贝克笑着说。

从英国飞到南非有一个好处。虽然飞行时间很长，但南非几乎就在英国的正南方。这意味着他们在落地后几乎不用调时差——约翰内斯堡的时间只比伦敦快一个小时。

你可以在飞机上正常地吃饭和睡觉，然后在落地后直接适应当地的节奏。

飞机基本上都是在夜间飞行。贝克很喜欢看下面这片遥远的巨大的大陆。他偶尔能够看到 9000 多米之下闪耀的火光。

阿西娜开着车进入了有三个车道的高速路。约翰内斯堡的交通很混乱。在离开机场时，阿西娜表示机场离自己在约翰内斯堡的住所有半小时的车程，他们可以在那里休息一天一夜。在第二天，他们可以前往克鲁格国家公园。在那里，贝克将拍摄视频。

很快，贝克就看到约翰内斯堡的摩天大楼在前方出现。在高速路上，贝克既看到了很多崭新的现代吉普车，也看到了很多眼看就要散架的破车。这让贝克记起南非是一个很有特点的国家。在这里，发达社会和发展中社会并存。这里既有富足，也有贫穷。

在路上，他们没怎么说话。阿尔伯伯在打瞌睡，阿西娜则在全神贯注地开车——贝克很高兴她是如此认真。高速路带着他们绕过了位于右手边的市中心。终于，贝克看到了一个路标。路标显示，他们快到索韦托了。

“马上就要到了。”阿西娜说，“贝克，这里距我与你的爸爸妈妈第一次见面的地方很近。当时，我们都在索韦托工作。”

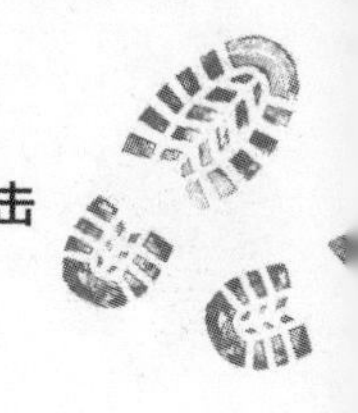

“索韦托有犀牛？”贝克吃惊地问。贝克本以为索韦托是约翰内斯堡市郊的一个黑人城区。这里只有成千上万住在用铁皮随意搭建的贫民窟的穷人，而不应该有任何野生动物。

还没有完全睡醒的阿尔伯伯笑了。“他们当时可有本事了。”阿尔伯伯说，“他们的工作内容非常丰富。”

“阿尔说得对。你爸爸为了保护野生动物而加入了绿色力量。你妈妈是个人道主义工作者，她不忍心看到有那么多穷人受苦。在她看来，每个人都应该贡献自己的一份力量来帮助他们。刚才我说了，我是在索韦托遇到你的爸爸妈妈的——实际上，他们也是在这里相遇的！”

贝克花了片刻时间才完全理解阿西娜的意思。他之前并不知道这个事实——当然，贝克知道爸爸妈妈肯定是以某种方式相遇的。在那之前，他们互不相识，就好像贝克在十几年前还不存在一样。在很久之前，爸爸妈妈也以互不相识的方式度过了很多年。

“我们要到了吗？我们能去看看他们见面的地方吗？”贝克突然问。

阿西娜笑了。“我不知道他们相识的具体位置……”

“那我们能去看看索韦托吗？”

“当然。阿尔，这没有问题吧？”阿西娜看了看阿尔伯伯。他还在半梦半醒之间，但他耸了耸肩。“好啊。我

认识那里的人……绿色力量在那里有办公点。我不知道这些人是否认识你的父母，但他们会很高兴认识你。”

阿西娜通过后视镜对贝克笑了笑。“你能够联系我让我很吃惊，你信中的口气和你爸爸一模一样。你的主意很好，而且你也已经下了决心……”

“嘿，等一下——什么？”贝克警觉地坐了起来，“我没有联系你！是你联系了我！在我的生日那天，你寄给了我一张卡片。”

“我寄给你……”阿西娜的笑容有些疑惑，“是你给我写了信，你不记得了吗？在绿色力量的宣传页中，你读到了关于我的事。你觉得你可以录一个视频，因为你的爸爸妈妈就非常关注盗猎犀牛的事情……”

现在，贝克和阿尔伯伯都开始感到疑惑了。阿尔伯伯转过头来，对着贝克皱了皱眉。贝克耸了耸肩，表示自己也不知道阿西娜在说什么。

“等一下……”贝克把背包拿了过来，开始寻找阿西娜寄给他的卡片。贝克把卡片从信封中拿了出来，打开后递给了阿尔伯伯。阿尔伯伯把卡片举起，让阿西娜可以一边开车一边看卡片。

阿西娜睁大了眼睛。“这不是我的笔迹……”阿西娜迅速把整张卡片读完，“这也不是我的电子邮箱地址。”

在接下来的一段时间里，没有人说话。三个人都开始

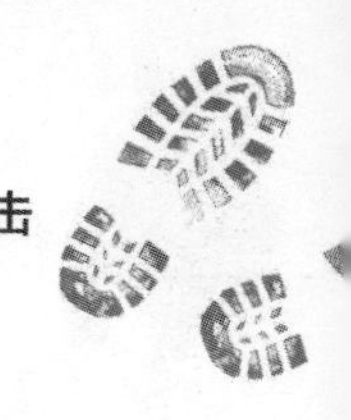

沉思。

“阿尔，”终于，阿西娜用坚毅的口气轻轻说道，“我的包就在你的脚边。贝克的信在前面的口袋里。你能把它拿出来吗？”

阿尔按照阿西娜说的拿出了信。然后，三个人又沉默了。阿尔伯伯把信递给了贝克。信的开头写道：“阿西娜，我不知道你是否记得我……”信最后写着签名：贝克·格兰杰。

“同样的笔迹。”贝克嘟囔着，“上面写的也不是我的邮箱地址。”之后，贝克突然大声说，“那我们是怎么聚在这里的？你我都向错误的邮箱地址写了信……”

“收到这些邮件的人又把它发到了正确的地址——并在这个过程中了解了我们的计划。”阿尔伯伯阴郁地说，他又回过头看着贝克，“贝克，你是被骗到这里的。你觉得谁会这么做？”

贝克呻吟了一声，身子倒在了座椅上。他心中只有一个答案。他知道阿尔伯伯也想到同样的答案。

路莫斯。

阿西娜把车停在树旁的阴凉中。一直在思考到底是谁骗了自己的贝克没有意识到汽车早已经离开了高速路。

阿西娜转过了头，面向贝克和阿尔伯伯：“阿尔，发

生了什么？”

贝克和阿尔伯伯相互看了一眼，该从哪里说起呢？……

阿西娜知道贝克的探险经历，但贝克和阿尔伯伯在公开场合从未提及路莫斯。因此，阿西娜对贝克的这个宿敌一无所知。

“这是个很长的故事。”阿尔伯伯说，“这么说吧，我们有个敌人。这个敌人也是绿色力量的老对手了。现在，他们盯上了贝克。”

“你觉得是他们把你们骗到这里的吗？”

“对，就是这样。”

阿西娜一边思考着，一边用手指敲了敲方向盘。“如果他们看过我们的电子邮件……”

“对，阿西娜。赶快把我们送回机场吧。贝克必须立刻离开这里，不论目的地是哪里。”

“我要留下来。”贝克说。

“别胡说。”

“我们来这里是为了完成一项任务的。”贝克坚持道，“爸爸妈妈不会就这么被吓倒，对吧？”

“你爸爸妈妈会觉得保护你才是世界上最重要的事情，所以我才要把你送走。”贝克刚要开口，但阿尔伯伯愤怒地冲着他晃了晃手指，“不行！我是认真的。阿西娜，带我们回机场吧。”

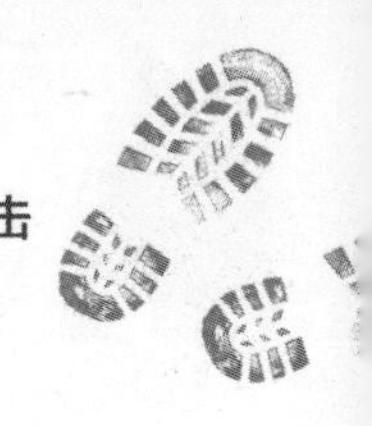

阿西娜沉默了片刻。“现在机场应该已经关门了。”阿西娜的语气平静得让人吃惊，“记得我跟你说过，机场的工作人员要罢工吗？现在应该有很多人都困在了机场。至少在接下来的几天里，你们是不可能离开这里的。”

阿尔伯伯懊恼地拍了下车门。阿西娜笑了。“你想躲过路莫斯吗？那让我们去索韦托吧。我们在邮件中没有提到那里。贝克可以看看那里的风景，而你会有时间静下来冷静思考对策。”

贝克看到有东西挡在了吉普车前面。这些东西包括旗杆和油桶。很明显，它们是刚刚被搬过来的。一群高大的男人吼了一声。他们没有穿制服，但身上都带着枪——半自动枪支就挂在他们的肩膀上。这些男人的态度很明显——我们是这里的守卫，你们不能过去。

但阿西娜只是摆了摆手，按了按喇叭。喇叭发出的长短不一的声音仿佛是某种暗号。男人的怒吼变成了微笑，他们让开了路。一个男人抬起了栅栏，让车开了过去。

贝克第一眼看到的是一望无际的铁皮屋顶。屋顶下是一片用水泥、铁丝、砖头和汽车零部件堆积的房屋。房屋之间是泥土路。南非的红土让贝克想起了血管——这些土路就是贫民窟的血管。

如果说整个黑人城区的环境是肮脏的，这里的每个居民则是爱清洁的。每走几步，贝克就能看见不同颜色、不

同图案的衣服和床单。它们都被挂在绳子上，等待晒干。这里的男女老少都充满尊严和自信。在贝克看来，他们每个人都很内敛。每个人在看到吉普车后都露出忧心忡忡的表情，但在看到绿色力量的标识时，他们会立刻露出笑容并挥手。有时，阿西娜也会挥手，并按出友善的喇叭声。

他们来到了一堆货箱旁边的土路上。附近有一个屠夫的铺子和一个烤肉铺。贝克一眼就看到了一堆红肉和很多认不出的动物器官。在靠近主路的地方，有人正在用铁桶烤肉。虽然看起来很恶心，但烤肉的气味让贝克不禁流出了口水。

一个货箱外有数条黑色的电话线。这里看起来仿佛是电话局。

另一个货箱上画着绿色力量的标识。

阿西娜看了看里面。“里面没有人。”她说，“让我带你看看四周吧。”

第三章

银背猩猩的攻击

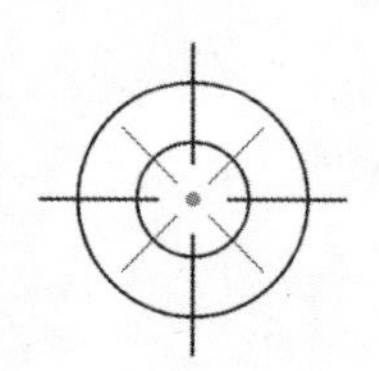

贝克一行人沿着贫民窟小房子之间的道路走着。一些当地人会对阿西娜友善地点头，但大多数人只是默默地看着他们从这里经过。

一根下水管裸露在土路上。阳光下，水和垃圾闪闪发光。贝克下了飞机还没来得及换鞋，还穿着舒适的单鞋而没有换上靴子，所以他不得不绕开管道，让其他人先走。

但贝克知道，与这里人们每天生活所面临的难题相比，让鞋子沾上水不是什么大问题。

“没有供暖，没有电力，没有自来水。”阿西娜说。

贝克一边走一边看着周围。大多数房屋没有门，只是挂着帘子，也基本没有窗户。

“如果这里着了火，火势会迅速蔓延。”阿西娜继续说，她转过头面向贝克，“这里也没法灭火，因为没有输水

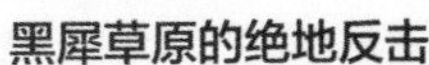

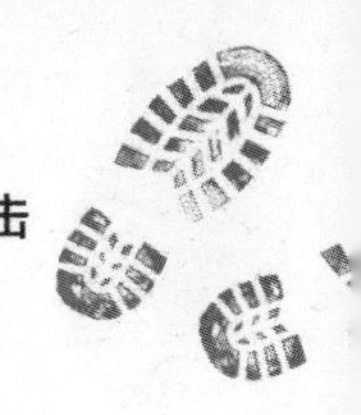

管道。现在这里很温暖，但到冬天时，很多人会被冻死。”

在一间房屋前，一个小孩拉开了帘子，探出了头。她——贝克很确定这是个女孩子——的大眼睛几乎占了脸庞的绝大多数空间，而她的身体是如此瘦弱，贝克甚至不知道她是怎么站起来的。

贝克努力露出了最阳光的微笑：“你好。”

女孩瞬间消失了。帘子落了下来。

“这里几乎所有的孩子都营养不足。”阿西娜说，“他们无法正常生长，骨骼几乎无法正常发育。即使这些孩子能够吃到饭，食物也多半已经被老鼠或蟑螂所污染。他们会因此得痢疾和肠胃炎。任何吃下去的食物要么会被吐出来，要么会引起腹泻。这里没有水，因此也没有正规的厕所、下水道和卫生系统。疾病在这里会像野火一样到处蔓延。人类的排泄物会污染水源，从而导致疟疾。疟疾能够让你在数小时内死亡——你会因为上吐下泻而迅速脱水。”

贝克只能盯着四周，他感觉自己只是一名游客，完全无力帮到这里的人们。贝克感到自己内心的怒火开始燃烧。

贝克经常在野外生活，他也见过一些几乎一无所有的人。贝克和他们成了朋友，并从他们那里学到了很多。但是，贝克从未这样直面贫穷。

按照西方社会的标准，贝克在原始部落认识的朋友很贫穷。但是，他们有他们生活所必需的一切东西，而且他

们很快乐。还有一些人也很贫穷，但他们可以通过努力工作改善自己的生活环境。这里的贫穷和那两种贫穷不同。这里的人们一无所有，而且不管怎么努力，他们都会永远贫穷下去，因为这里的社会就是这么不公平。

贝克愤怒了。为什么有人会让社会中的其他成员如此生活？他们为什么如此肆无忌惮？

妈妈原来一直在和这样的贫穷抗衡吗？贝克为妈妈感到无比的骄傲……

一个母亲和自己的两个孩子坐在路边的一个火堆旁，静静地看着贝克一行人走了过去。母亲怀中的小姑娘一边呻吟一边颤抖着，她双眼紧闭，仿佛发烧了，头不断摇晃，还用力地挠自己的腿，几乎都要把皮挠破了。

贝克的愤怒爆发了。

贝克走了过去，抓起了小女孩的手，不让她继续挠下去。小女孩的母亲一动不动，只是默默地看着贝克。

“她身上有蜱虫。”贝克说。

小女孩的腿上有三个黑点。贝克很熟悉蜱虫。蜱虫咬入人的皮肤后会埋头喝血，一直到它们感到无聊和喝饱为止。随着蜱虫肚子的鼓起，它们看起来像是人身体上长出的果子。

“我觉得她应该知道这一点，贝克。”阿西娜静静地说。她转过头面对着小女孩的母亲：“萨乌伯纳妈妈。”小

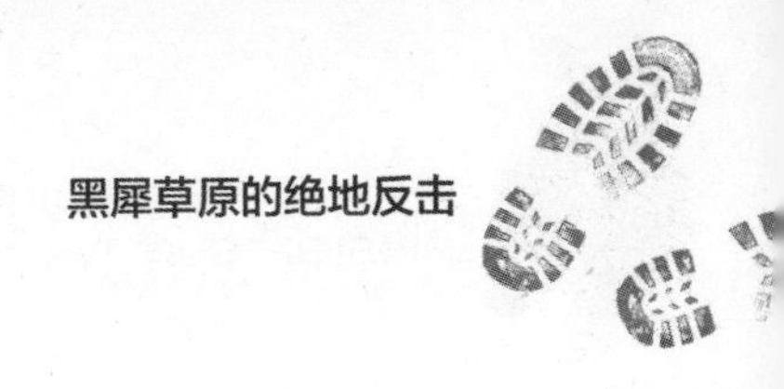

女孩的母亲严肃地点了点头。

“蜱虫引起了小女孩的发烧，在这里很常见。这种病并不致命，但会让人体温上升和头痛。”阿西娜对贝克说。

蜱虫的身体带有细菌，细菌会进入人的血液。贝克之前只听说过蜱虫引起的感染，但他从未见过被感染的人。挠皮肤只会让病情更严重——被挠破的皮肤会让传染加速。

贝克还是很愤怒，因为这种病十分好治。

“我知道，我也知道如何治这种病。”

阿西娜又用祖鲁语和小女孩的母亲说了几句话。她只是点了点头。

贝克看了看四周，他发现有一堆木柴。贝克找出一根小树枝，然后把树枝的一端放入火堆中，直到树枝开始冒烟。

贝克蹲在了小女孩旁边，慢慢用树枝的燃烧端靠近了蜱虫。小女孩睁开了眼睛，在看到了贝克后，她发出了一声呻吟。

“嘘……没事……嘘……”

贝克小心翼翼地确保树枝没有触及小女孩的皮肤，而是碰到了蜱虫的黑点上。蜱虫几乎马上开始扭动身体。很快，它开始摇摇欲坠。贝克快速地把蜱虫从小女孩身上扫了下来，然后高兴地一脚踩死了蜱虫。

“再来一次吧？”贝克高兴地说。他对着树枝吹了口气，让树枝再次开始发热，然后又找到了下一只蜱虫。很

快，贝克把所有的蜱虫都弄了下来。

阿西娜又和小女孩的妈妈说了句话。“我告诉她可以把女儿带到绿色力量的办公室。我们可以给她点退药烧。”

小女孩的妈妈终于有了反应，她凝视着贝克说：“基亚彭卡。”

“这是‘谢谢你’的意思。”阿西娜翻译说。

一直默默看着贝克的小男孩突然露出了灿烂的笑容。他伸出了手，肘部略高的地方也有一只蜱虫。

阿尔伯伯笑了。“贝克，我觉得你找到工作了。”

太阳高高挂在天上。贝克、阿尔伯伯和阿西娜回到了绿色力量的办公室。阿尔伯伯一副毫无活力的样子，贝克却十分愉悦，因为他知道自己刚刚做了件非常有意义的事。

“之前没有人教过他们要这么做吗？”贝克问。他已经给许多孩子清除蜱虫了。

“应该有过。但问题是，这里的人知道蜱虫早晚还会回来。”

贝克懊恼地咬了咬牙。他一直把自己的父母看作战士，而他们的敌人就是因为贪婪而不惜摧毁地球和让动物灭绝的邪恶势力。在这场斗争中，他们战死了，但他们没有战败。事实上，他们的死恰好证明了他们是多么成功。邪恶的力量就是因为感受到了威胁才会置他们于死地。

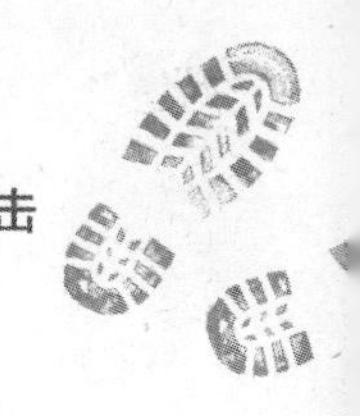

但或许贝克可以留在索韦托这样的地方，帮助那些无助的人们。这么做或许和与邪恶势力做斗争一样有意义。

贝克用眼睛扫了一下这里的人们居住的临时房屋。贝克曾用更少的原材料制作过更简陋的帐篷，但那时他的目的不过是凑合一两天，他不需要长期住在那样的地方。

或许贝克也可以在这方面做出贡献——教会当地人如何制作能够更好地防风防水的住所……

在即将上车时，阿尔伯伯转头面向贝克。“你做了很伟大的事情，但我们能不能找个地方先睡一会儿？”他哀求地说。

贝克笑了，他回过了头。基本上由小孩组成的人群在身后默默地跟着他们。贝克对他们挥了挥手：“我该走了，但我会回来的！”

人群中严肃的面孔迅速被真诚的笑容所取代，孩子们高兴地挥了挥手。贝克也笑了。他最后挥了挥手，然后走到了吉普车旁。

突然，贝克听到了引擎发出的巨大声音。一辆黑色的吉普车在他们身边停了下来。这辆闪亮又现代的车子让四周扬起了尘土。

贝克咳嗽了一声。突然，他开始流眼泪了。“这是……”

一个高大强壮的男人从尘土中走了出来。他本来是深色的头发已经有些灰白，强壮的肩膀把衬衫撑了起来。

男人紧闭着嘴巴，一言不发地把贝克抱住并拉向黑色的吉普车。

贝克觉得自己仿佛遭到了一只动作敏捷的银背猩猩的攻击。贝克摔在黑色吉普车上，他十分震惊，甚至不知该如何反应。男人拉住贝克的领子和皮带，把他扔进了冰凉的后座中。贝克眨了眨还在流泪的眼睛，然后看到了一个他本以为永远不会再见到的面孔。那是一个比贝克大一两岁的金发男孩。男孩抓住了贝克的胳膊。

詹姆斯·布雷克。他之前就曾企图杀死贝克……

贝克朝詹姆斯挥了一拳，然后挣脱了詹姆斯的双手。贝克转身，迅速离开了黑色吉普车，但正好撞到了灰白头发的男人身上。

“这可不行，孩子……”男人说。

突然，男人消失了。阿尔伯伯以难以想象的敏捷动作，像一名橄榄球运动员一样把男人扑倒在地。两个男人抱在一起，在地上滚来滚去。贝克和阿西娜跑了过去，想要帮助阿尔伯伯站起来。男人也企图挣扎着站起来，但他很快被一群怒吼着的孩子所淹没。刚才一直跟着贝克的人群像昆虫一样围了过来，不断用脚踢、用手打、用石头和泥土投掷着男人。

“快。”阿西娜一边说，一边把贝克和阿尔伯伯带回了

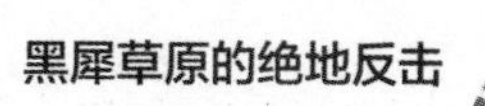

自己的车上。

贝克最后看了一眼后门打开的黑色吉普车。詹姆斯应该还在那里，捂着自己的伤口。

阿西娜把贝克这一侧的车门关上，然后进入了驾驶座位。引擎发出了巨响，他们迅速离开了，只留下了阻碍他们视线的红色尘土。

阿尔伯伯的胸部不断起伏。“那到底是谁？”他喘息着。

“是詹姆斯。”贝克说。他看了看自己击中詹姆斯的手，手还在痛。“詹姆斯·布雷克。他就在那辆吉普车里。”

阿尔伯伯眼睛睁得仿佛两只飞碟一样。吉普车在路上快速奔驰着。车身在不断摇晃。“詹姆斯？那个年轻的冷血杀手吗？应该已经死了的那个詹姆斯？”

贝克点了点头。

阿尔伯伯诅咒了一声，然后用力拍了一下车门。“我懂了。整件事肯定是路莫斯的阴谋。詹姆斯已经失败过一次，但他会继续努力，直到成功为止。你需要每次都走好运才能躲过他的攻击，但他只要走运一次就能杀死你。我们必须离开这里，我的意思是马上。”

吉普车开始慢慢减速以躲避地面的坑。贝克看了看后面，那辆吉普车没有追过来。

“我跟你说过了，”阿西娜平静地说，“机场已经关闭了。你觉得自己能够去哪里？”

“我们可以去……”阿尔伯伯懊恼地挥舞着双手，“某个地方！继续开车远离海岸吧。去一个……一个他们不可能猜到我们会去的地方。”

“比如，刚才的黑人城区那样的地方吗？”贝克问，“詹姆斯已经失败了——他无法立刻找到我。他会花一些时间计划下一次行动。我们应该趁这个机会去犀牛保护区。”

“詹姆斯知道那是你的目的地。”阿尔伯伯指出。

“那里会有很多绿色力量的工作人员。”贝克说，“比如，带着大型枪支防止偷猎的守护员。这些工作人员认识所有的当地人，陌生人是无法混进去的。”

阿尔伯伯若有所思地咬了咬嘴唇，贝克的话仿佛打动了他。

“而且，”阿西娜说，“贝克来这里本来就是为了拍抵制偷猎犀牛的宣传片的。”

“但我们现在已经知道这是路莫斯计划的一部分了！”

“是不是路莫斯计划的一部分现在已经不重要了……”阿西娜头一次开始激动起来，她对于犀牛保护的热情终于开始燃烧，“这份工作很重要。阿尔，这真的非常重要。我们非常需要所有支持。就算这份支持只是路莫斯造成的一个意外……”

贝克看出阿尔伯伯就快要被说服了，但他为了说服贝克，最后还是要再试一次。

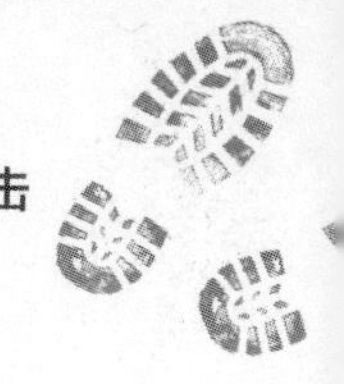

“路莫斯可能会再次出手。”阿尔伯伯说，“如果我没有记错的话，从这里去克鲁格国家公园需要七八个小时的车程。这是一段很长的距离。路莫斯可能已经沿路安排了狙击手。他们随时都可能再次出现。”

阿西娜笑了。“我们可以用更快的速度前往克鲁格国家公园。我还有个方法能够确保路莫斯不会再得到一次机会。”

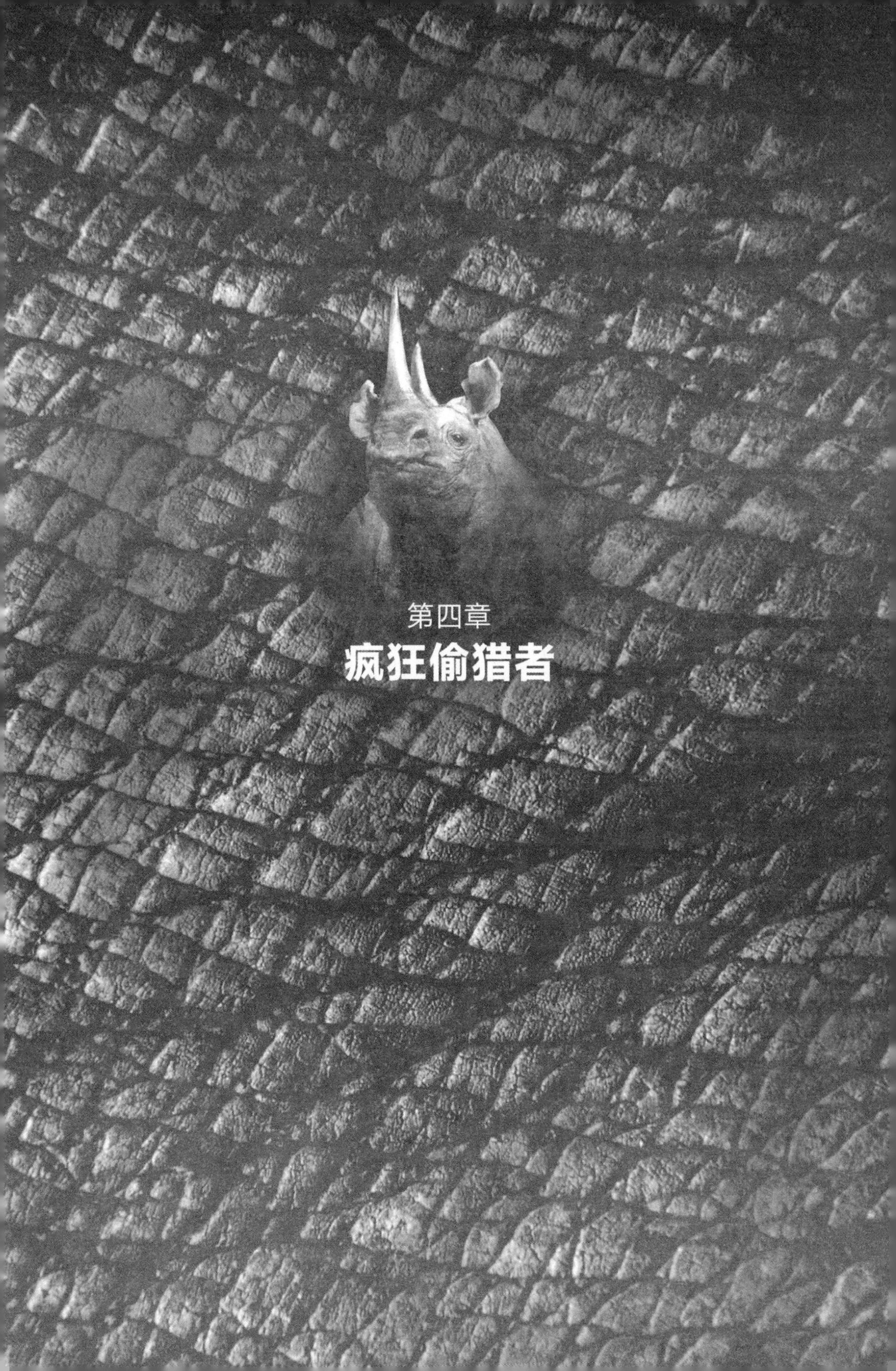

第四章 疯狂偷猎者

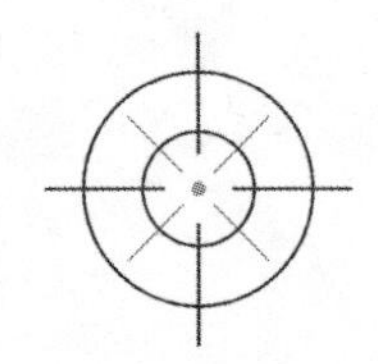

直升机里很窄小，而且噪声很大。贝克、阿尔伯伯和阿西娜拿着行李坐在机舱的后方。他们占据的空间不会比小轿车里的空间大多少。

但至少直升机很快。

阿西娜先是开车把贝克和阿尔伯伯送到了茨瓦内，然后他们登上了这架属于绿色力量的直升机。在路上，阿西娜已经打过电话。在他们到达停机坪时，直升机已经启动了，在等着他们。飞机上除了有飞行员之外，还有一个男人，他穿着已经褪色的卡其布猎装，戴着公园守护员必备的遮阳帽。

贝克望着窗外。下面是绵延不断的山丘和草地。直升机下方正是非洲最高的德拉肯斯山脉。这里的道路非常崎岖。山脉是由数百万年前的火山爆发形成的。山脉有些

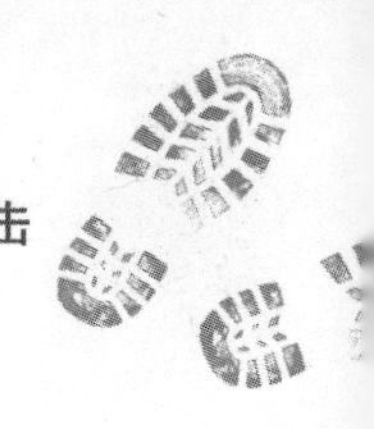

山峰高达 3000 米以上。直升机正在南非草原上低空飞行。这片大草原里生活着所有的非洲野生动物，比如犀牛、大象、狮子和猎豹。

现在时间已经很晚了，太阳已经快下山了。树木和动物的影子都被拉得长长的。直升机的影子看起来很像一只巨大的虫子。直升机的噪声还吓到了一群斑马，它们恐慌地跑了数百米。

“情况已经很危急了。”一个严肃的声音在贝克耳边响起。飞机上所有人都戴着耳机，这样才能在机舱内沟通。飞机上的这名守护员叫伯加尼·彼得森，他从前排回过了头。伯加尼是一个高大的祖鲁男人，他头顶的头发已经有些发灰。

“我们派出了军队，有直升机巡逻，甚至还开始使用无人机。”伯加尼继续说，“但敌人还是源源不断地来到这里。”

贝克和阿尔伯伯仔细地听着这个男人说出的每句话。他把一生都投入了这场生死攸关的斗争中——不但犀牛可能被杀害，人也可能被杀害。犀牛偷猎者知道自己一旦被抓住就要面临严厉的惩罚，因此，他们会毫不犹豫地杀死发现他们的守护员。

“敌人都来自什么地方？”贝克问。

伯加尼指了指他们前方，那是东边。“他们一般来自

南非和莫桑比克的边界。边界有300多公里长——我们很难同时巡逻这么长的边界。国家公园的面积也有200万公顷。这相当于整个以色列的面积！他们会成群结队地过来——一起行动的人一般就四五个人。一旦过了边境，他们就会消失在野生公园中。”

“但四五个人带不走一头死犀牛，对吧？”贝克有些不解。

“他们不会把整头犀牛都带走。”伯加尼敲了敲自己的鼻子，“他们只在乎犀牛角。不幸的是，犀牛不喜欢把自己的角随便让人拿走。为了得到它们的角，这些人必须先杀死犀牛。在黑市上，犀牛角比黄金还值钱。关于犀牛角有很多传说，但几乎都是错误的。很多人认为犀牛角是某种神药，但你要知道，贝克，犀牛角不过是角质！从成分上来说，犀牛角和人的指甲是一样的！如果有人认为犀牛角能够治病，他们还不如直接把自己的指甲泡在茶里喝下去。”

想到指甲泡在茶里，贝克不禁露出了恶心的表情。“希望喝了这种茶会让他们真的得点什么病。”

伯加尼笑了。“会的！我们现在正在尝试一个计划：向犀牛角内注射粉色染剂。染剂不会进入犀牛的血管里，所以它们不会受伤，但任何喝犀牛角制剂的人会头晕和浑身痉挛。注射制剂也会让犀牛角变成粉色——犀牛不会在意，它们是色盲——这可能会让偷猎者在一开始就对这只

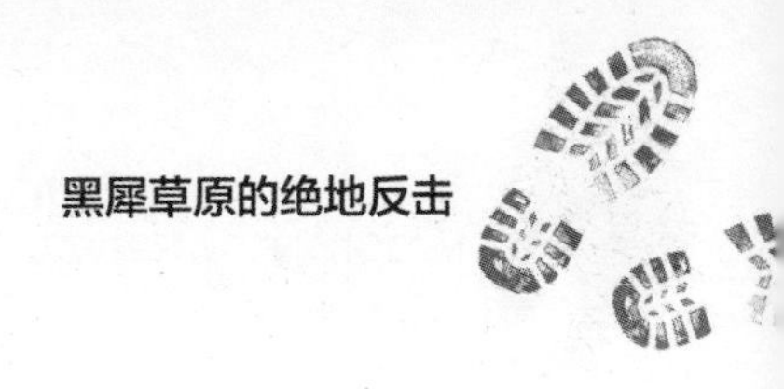

犀牛敬而远之。”

贝克笑了：“这是个不错的主意。”

伯加尼脸上的笑容消失了。他耸了耸肩。“我们希望这个主意能够有用，但这场斗争永远不会结束。我们不可能把粉色染剂注射到所有犀牛的角里。而且，偷猎者或买家最终也会找到让染剂褪色的办法。这意味着犀牛角会变回白色，但毒性不会消失——吃犀牛角的人还是会生病。贝克，你必须记得，总会有人是愚蠢、贪婪、邪恶的——总会有犀牛死去的。”

飞行员的话打断了他们的对话。

“再有十分钟我们就到达目的地了。”

当直升机激起地面的尘土并落到地面上时，太阳几乎已经完全落山了。直升机没有在地面上待太久。在贝克一行人把行李从直升机上搬下来后，直升机又飞走了。贝克他们开始朝建筑物走去。

这里是绿色力量在当地的总部，是他们办公的地方，而不是用来接待富有的游客的酒店。这是一座不高的木屋。木屋的底部与地面有一段距离，这样昆虫和蛇就不会误入屋中。木屋的屋顶是晒干的茅草，窗户上也没有玻璃。

在没有看到其他守护员或停在屋前的车辆前，房顶一端安装的卫星天线是整个木屋唯一的貌似来自二十一世纪

的装饰。

贝克一行人通过木头阶梯和走廊进入了房间。房间里空荡荡的，只有几把藤制椅子和挂在天花板上懒洋洋旋转着的吊扇。一个和贝克年纪差不多的非洲女孩趴在桌子上，凝视着手提电脑。她抬起头，朝贝克一行人笑了笑，然后又把注意力放在了电脑屏幕上。女孩用笔在笔记本上书写着。

“萨穆拉，”伯加尼说，“这是——”

“它又动了。”萨穆拉小声说。她摇了摇手，让伯加尼保持安静。

伯加尼向贝克、阿尔伯伯和阿西娜抬了下眉毛，看上去他仿佛觉得这一切很有趣。贝克一行人走到桌子旁边，想看看到底是什么吸引了萨穆拉的注意力。

贝克完全看不懂屏幕上的图像。他只看到很多条弯曲的线画在地图上面。屏幕上有一个点正沿着弯曲的线前进。点旁边有很多数字，贝克认为那是经纬度。随着点位置的改变，数字也会随之改变。

伯加尼把手放在了萨穆拉的肩膀上。萨穆拉握了下伯加尼的手。很明显，他们两个人都对屏幕上的信息很满意。贝克不知道为什么所有人都如此安静。屏幕上的东西应该听不到他们的对话，对吧？

“那到底是什么？”贝克小声问。

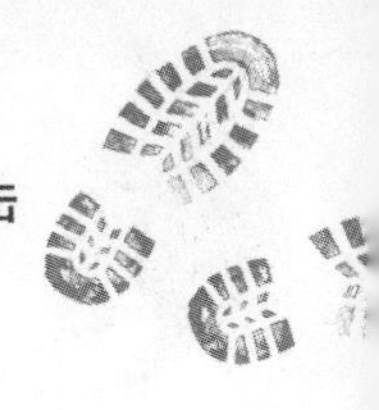

“那是一头母象。”萨穆拉一边继续盯着屏幕一边说，“它是被人类抚养长大的。后来，它被放回了大自然。现在它怀孕了……能看到它的路线吗？”萨穆拉指着屏幕上诸多线中的一条，“这是大象常见的迁徙之路。我们可以看到它已经加入了其他的大象之中。”萨穆拉对贝克露出了微笑，贝克看得出她是由衷地高兴，“这意味着其他的大象接纳了它。”

伯加尼把客人介绍给萨穆拉：“萨穆拉，亲爱的，这是贝克和阿尔，你认识阿西娜。萨穆拉是我的女儿……”

“所以你对犀牛也同样了解吗？”贝克突然问。他没有想到这里有个年龄和他差不多大的年轻人。贝克很高兴自己能够多一个伙伴。

萨穆拉笑了：“知道一些。”

伯加尼翻了下眼睛：“有什么是她不知道的吗？先进来吧，你们可以等一会儿再接着聊。在吃饭之前，你们可能会想休息一会儿……”

第二天，吃过早饭后，贝克来到走廊，眺望着国家公园。他看到四周都是树木。树林仿佛成为掩盖这片古老土地的面纱。

这……贝克想道，这才是非洲——壮观而美丽的大陆。贝克觉得昨天看到的贫民窟仿佛一个健康人身上的癌症。当身体的机能出现问题时，癌症就会出现。贫苦窟就是富饶的非洲和充满活力的非洲人所面临的问题的写照。

贝克很想成为能够以某种方式帮助非洲大陆恢复健康的医生……

昨天晚上他们很早就吃完了晚饭。想象着非洲野外生活的贝克很快就睡着了。在梦中，贝克闻到了干草的气味，听到了无数昆虫的叫声以及偶尔发出的动物的咆哮声。贝克在第二天一早就醒了。他对非洲十分期待，但他心中也感到有些焦虑，那是兴奋和恐惧夹杂在一起的感受。

贝克从走廊走了出来，看了看四周的国家公园。

在从空中来到地面后，贝克终于觉得自己的的确确是来到了非洲。

在 20 米以外的地方，一块针对不熟悉野生公园的游客的木牌上写着：

“不要穿太亮的衣服，这可能会吓到大象。”

这块木牌让贝克想起了自己伦敦的家门口挂着的木牌：“仅限住户停车。”他不禁笑了。贝克更喜欢他现在看到的这块木牌。贝克喜欢一个随时可能遇到大象的地方。

贝克和阿尔伯伯对野外生活都很熟悉。他们都带了不会吓到大象的衣服，还带了有着宽大帽檐儿的帽子，这样他们就不会被晒坏了。他们穿着很轻又结实的游猎用靴

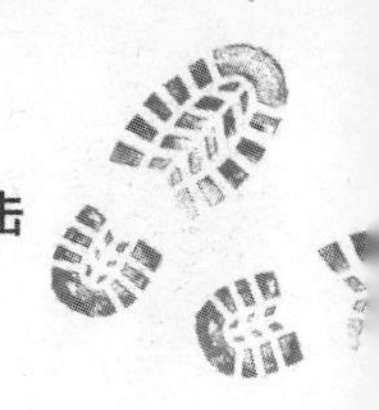

子，这种靴子能够在野外提供防震和保护脚踝的功能。贝克的衬衫和裤子都是用超强防撕的面料制作的，并且都很宽松，这样空气可以在衣服里流通。暗绿色和暗棕色夹杂的衣服看上去仿佛迷彩服一样。

贝克坚信，如果有必要的话，他可以瞬间在公园的背景里找地方躲起来。

贝克听到了走廊上传来的脚步声。萨穆拉来到了他的身边。

“早上好！”萨穆拉对着公园挥了挥手，“你觉得这里怎么样？”

“太美了。”贝克真诚地说道。

“爸爸说你会拍摄一段关于犀牛的视频。”

“对。在来的路上，他一直说偷猎的事情。”

萨穆拉的笑容蒙上了一层阴影。“那是一群坏人，一群亡命之徒。我正在学习关于这片保护区的知识——等我长大，我也要当这里的守护员。”

伯加尼和阿西娜也走了过来。阿西娜背着摄像机包，伯加尼则拿着三脚架。他们走了过来，然后把三脚架支了起来。

“萨穆拉已经是收集 DNA 样本的小能手了。”

“DNA？”贝克有些吃惊。守护员不需要深厚的基因学背景吧……

“我们会收集找到的死犀牛的DNA，并把样本送到约翰内斯堡。”萨穆拉解释说，“样本会进入数据库，并且和上市的犀牛角产品进行对比。另外，我们找到的子弹壳也是证物。”萨穆拉变得严肃起来，“爸爸跟你说我们昨天找到的犀牛母子了吗？”

贝克摇了摇头。

萨穆拉仿佛凝视着远方，她开始回忆昨天的事情。“当看到秃鹫徘徊时，我们就知道有什么地方不对劲了。这说明有动物死了——这往往是我们得到的第一个线索。我们开始在四周寻找。一对犀牛在四五天前被杀了。我们先是找到了孩子。秃鹫和鬣狗已经把它吃得基本上只剩下骨头了。”萨穆拉停了下来。

“偷猎者应该是击中了孩子——他们的目标多半是母亲，但他们打偏了。他们应该没有想杀死孩子，因为它的角还太小了。但就是这样，又一头犀牛无辜地死了。犀牛母亲就躺在几百米外的地方。它的角所在的地方现在只剩下了一个大洞。这个深色、丑陋的洞是世界上最恶心的东西——洞上只有凝固的黑色血液和盘旋的苍蝇。”

萨穆拉的声音有些颤抖。她停了下来，用手擦了擦眼睛，然后控制住了自己的情绪。她用平静的语气继续说：

“在孩子被杀死后，犀牛母亲一定想逃离这里。它应该十分痛苦……它的肩膀也受伤了——在杀死它之前，他

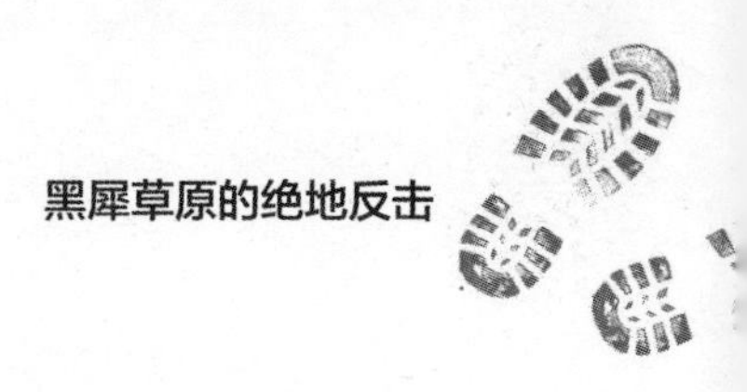

们至少击中了它一次。”萨穆拉的怒火很明显，她无法相信这么美丽的动物就这样死去了。

贝克也感到了愤怒，他内心的怒火燃烧着。他记起了伯加尼关于指甲的话。这些人到底是谁？他们为什么要杀死如此美丽的动物？就为了获得指甲制药吗？

“很好！”阿西娜说，“保持你现在的心情！”她把摄像机放在了三脚架上，然后把它对准了贝克。

贝克眨了眨眼：“什么心情？”

“你现在很愤怒，对吧？”

“我当然很愤怒！”

“就是这种心情。我们需要将怒火透过你的声音传递出来，我们需要观众能够看到你眼中的怒火。你可以先重复一遍萨穆拉刚刚告诉你的故事，你现在应该对这个故事记得很清楚。预备——开始！”

贝克用平静但充满感情的语气把这个故事又讲了一遍。

在完成第一遍拍摄后，贝克已经明白，真正的故事才刚刚开始。

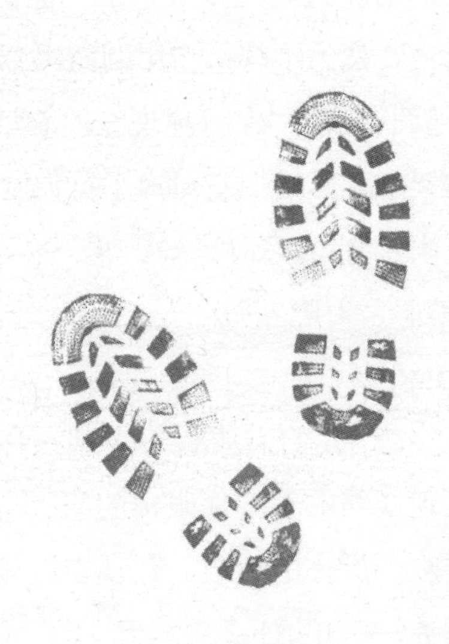

第五章

血肉打造的“坦克”

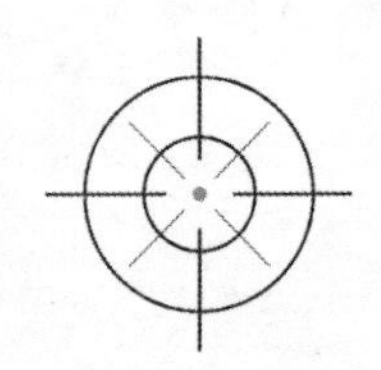

“在这里停下，阿尔伯伯。”后座上的萨穆拉说。

吉普车正沿着小山坡上的道路前进。阿尔伯伯把车停在了路边一块土地上。很明显，很多车都曾在这里停留过。

阿尔伯伯熄灭了引擎。贝克很快明白了萨穆拉要求在这里停车的原因。

克鲁格国家公园的草原就在他们面前。在很远的天际，贝克可以看到昨天他们刚刚飞越的德拉肯斯堡山脉。

在前方，起伏不大的山坡下有一个水坑。从远处看，那不过是草原中的一个黑点。水坑旁有被在这里喝水的动物踩过的很多淤泥。

一群数量不多的黑斑羚正在水坑旁准备喝水。黑斑羚看上去十分优雅，它们弯曲的角并不很粗。

“它们应该不是濒危动物吧？”贝克一边盯着黑斑羚

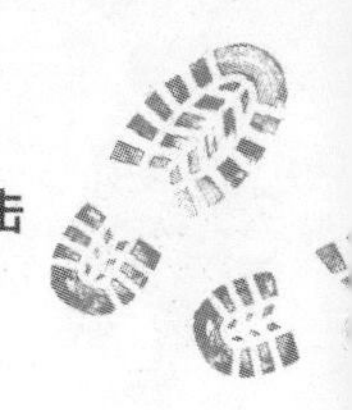

一边问。

“对，它们是安全的。上次统计时还有150万只黑斑羚。”阿西娜说。

“这几乎和我们今天需要拍摄的镜头数差不多了！”贝克开玩笑地说。

阿西娜笑了。她一直是一个完美主义者，她也知道这有时会让她身边的人有些难受。

在完成了贝克的拍摄部分后，阿西娜和伯加尼又开着绿色力量的吉普车去拍摄了更多镜头。阿西娜想拍摄一些外景以及一些动物的特写。阿尔伯伯则开着另一辆吉普车，带着贝克去观赏公园的风景。萨穆拉也陪伴着他们，这让贝克很高兴。

贝克又看了看四周，希望找到其他值得一看的风景。

在接下来的几个“非洲分钟”里，四周一片寂静。“非洲分钟”是阿尔伯伯的说法。在这里，传统意义上的分钟变得毫无意义。一“非洲分钟”可能相当于传统的五分钟……或者十五分钟。在这里，你感受不到时间的流逝。你唯一能够感受到的只有四周的宁静。这也是阿尔伯伯和贝克的父母最喜欢的非洲特点。

贝克第一个看到了一群动物。那是十几二十头大象，它们大小各异，纷纷来到水坑边喝水。贝克敬畏地注视着它们。他有一些朋友的房子还不如领头大象的体形大。在

看出大象的意图后，黑斑羚决定让出水坑。

在贝克还小的时候，阿尔伯伯曾告诉贝克，非洲大象的名字源自它们像非洲形状一样的耳朵，而印度大象的名字源自它们像印度形状一样的耳朵。阿尔伯伯很喜欢对贝克讲这样的故事。现在，贝克也发现阿尔伯伯至少说对了一件事：非洲大象的耳朵更大，而且的确有点像非洲的形状。

在大象身后几百米处，三四头长颈鹿优雅地走着。随着身体的移动，它们的脖子有韵律地晃动着，这让它们看起来仿佛是从草原上飘过的。

突然，萨穆拉抓住了贝克的胳膊："快看！"

顺着萨穆拉伸出的手指，贝克望了过去。在一开始，他什么也没有看到。

但之后，贝克看到了从草丛中走出的那只让萨穆拉激动不已的动物。

一头缓慢走来的美丽犀牛……

犀牛充满自信，它的步伐稳健而高雅。

贝克知道犀牛是温顺的动物，它们只吃草，从不会主动伤害其他动物或人类。但贝克也知道，犀牛的脾气很暴躁，如果有动物或人类惹到它，它随时会爆发。

犀牛仿佛知道自己的力量。巨大的犀牛奔跑起来能用

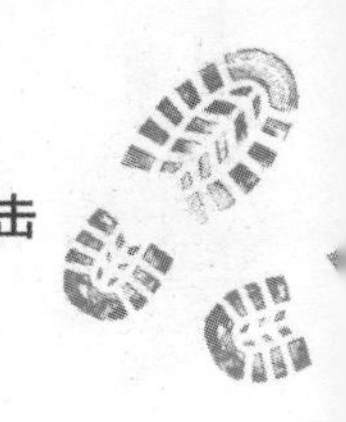

自己的角让对手遭受巨大的打击。而且，犀牛浑身都有坚硬的皮革，它们对任何事物都毫不畏惧。没有任何食肉类动物会愚蠢地主动攻击一头成年犀牛。唯一能够让犀牛受伤的动物恐怕就是大象了，但大象为什么要主动攻击犀牛？

贝克一边想，一边看着这头完全属于这个世界的犀牛平静地走来走去。

但贝克知道一个不幸的事实：在现实世界中，犀牛并不安全。

现实世界里有装备了大杀伤力武器的偷猎者——面对这种武器，犀牛毫无防御能力。今天，这里并没有偷猎者。这附近只有贝克、萨穆拉和阿尔伯伯三个人，而他们站在山坡顶上，距离犀牛有几百米的距离。近视的犀牛是看不见他们的。

"是一头黑犀牛。"萨穆拉用崇敬的语气说，"这种犀牛非常少见。在上一次统计时，整个公园里只有 350 头黑犀牛。能看见它真是太幸运了。"

犀牛好像一辆用血肉打造的坦克。它的身高和成年男子差不多，体长则有身高的两倍——贝克觉得犀牛从鼻子到尾巴的长度足有 4 米。犀牛不断缓慢地摇摆着头部，仿佛想用头部下方的小眼睛观察四周的环境。

随着头部的移动，犀牛巨大的角——也是引起犀牛全

部悲剧的来源——让贝克想起了瞄准器。所有动物随时都会瞄准任何潜在的敌人。

但这附近没有任何能够危及犀牛的东西，犀牛慢慢地走开了。

“看起来并不是纯黑色的，对吧？”贝克评论说。这头犀牛看起来更像是深灰色。

“黑犀牛只是颜色比白犀牛更深而已。”萨穆拉说。

“而白犀牛也不是白色的。”阿尔伯伯笑着说。

拿着阿尔伯伯的望远镜的萨穆拉补充说：“白犀牛的名字源自荷兰语中的‘wijd’，也就是说‘宽’的意思。所以白犀牛其实是‘宽犀牛’。”

贝克看了看阿尔伯伯。

“这是说它们的嘴部。”阿尔伯伯敲了下自己的嘴，“又长又宽，和黑犀牛完全不同。”

贝克看到，黑犀牛的嘴最前方是尖的。

“太美了。”萨穆拉嘟囔着。贝克也同意她的说法。

他们一直等到犀牛在反光的热浪中消失。之后，阿尔伯伯发动了引擎，离开了山坡顶。

他们沿着道路进入一个不深的山谷中。道路的两侧逐渐升高，在接下来的一段时间里，他们除了天空什么都看不到。为了躲避吉普车，一群斑马开始加速。它们生性保守，希望能够避开任何潜在的危险。

吉普车来到了一片树林和灌木丛前。道路开始大幅度转弯，以至于车里的人只能看到前方 20 米外的地方。在拐弯后，阿尔伯伯突然来了个急刹车。

在路中间，有一头犀牛看着他们。

根据萨穆拉之前的描述，贝克觉得这是一头白犀牛。犀牛身体的后端略有些灰，嘴角似乎露出了愤怒的表情。

而且，这头犀牛非常巨大——它的体积比他们刚刚看到的黑犀牛大了四分之一，而且比黑犀牛也更高。犀牛完全堵住了路，让吉普车根本无法前进。犀牛的头部靠近地面，耳朵向后靠拢，用角擦着地面。

在接下来的几秒钟，所有人都一动不动。之后，阿尔伯伯把手放到了换挡杆上："我来倒车……"

萨穆拉拉住了阿尔伯伯的胳膊。"不行。"萨穆拉表示，她的语气听起来很奇怪，"把引擎熄灭。"

"熄灭？"

"对，熄灭。"

阿尔伯伯快速扭动了钥匙，引擎熄灭了。

在引擎安静后，他们可以听到犀牛的喘息声——先是呼出空气，然后是巨大的吸气声。

"这头巨兽能比你更快地加速——"萨穆拉慢慢地说，"看起来它马上就要朝我们冲过来。"

犀牛继续低着头，用角摩擦着地面。然后，它抬起头，看了看车里的他们。贝克先是盯着犀牛，然后迅速转开了头。有些动物把对视的目光视为挑战，贝克可不想惹怒犀牛。

不知道被犀牛冲击会造成什么样的后果呢？贝克想。吉普车是不是比外表看上去更坚固？它能不能承受犀牛巨大的冲击力？还是会像锡纸一样被揉成一团？

贝克真的非常希望萨穆拉没有命令阿尔伯伯熄灭引擎，但他也知道，吉普车的噪声是激怒犀牛的原因之一。他们最安全的选择就是熄灭引擎。

“狮子会通过吼叫吓唬敌人。”萨穆拉小声地说，她一直在盯着犀牛，“犀牛则通过肢体语言来警告对手。”

犀牛又低下了头，它的鼻子呼了一大口气。犀牛的呼吸把地面上的尘土都吹了起来。

萨穆拉继续说：“比如说这样——用鼻孔吹气，以及用角在地面摩擦……”

“这头犀牛为什么会发怒？”贝克问。

“这里可能是这头犀牛的领地——可能这是属于它的道路。又或许，它只是今天心情非常不好。”

听到这个笑话后，贝克淡淡地笑了笑。他努力记住这些信息。贝克擅长野外生存——他知道如何在野外活下来，然后活着到达自己的目的地。贝克知道如何找到食

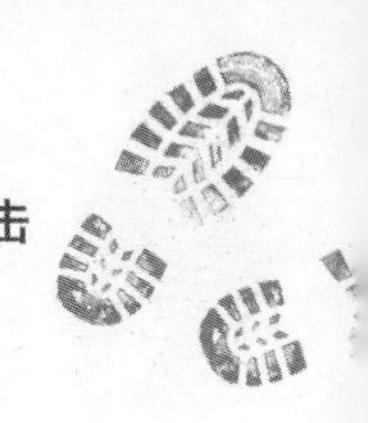

物，如何搭建帐篷——但或早或晚，野外生存的人都会遭遇野生动物，因此对各种动物都有所了解是非常必要的。

贝克笑了，他记住了一点："在这种情况下，离犀牛远一点。"

犀牛还是摇摆着头部，仿佛有什么东西粘在了角上。之后，犀牛缓慢地转身，然后消失在了灌木丛中。贝克放松地呼了口气，他呼气的声音和犀牛喘气的声音都差不多了。

"能启动引擎了吗？"阿尔伯伯问。

"可以。"萨穆拉淡淡地笑了，"而且最好在犀牛改变主意之前。"

他们已经在吉普车里待了一天。贝克很喜欢在户外待着。公园里有铺好的道路，但阿尔伯伯选择了那些不太正规的道路。看到路上的坑后，阿尔伯伯的对策是假装路是平的，然后加速前进。非洲大陆的美丽在一定程度上弥补了颠簸带来的不适感，但贝克还是有点想回到木屋的走廊。

天空的颜色逐渐从黄色变成了红色。贝克知道非洲的夜晚来临得很快。离赤道越近，太阳上山下山的速度越快。非洲的这个角落比伦敦更靠近赤道。阿尔伯伯觉得他们离木屋还有半小时的路程。

就在此时，贝克看到了秃鹫。

他通过眼角余光瞥到有什么动物在移动。那是蓝天下

的一个黑点，在草原的高空中翱翔。

贝克抬头看了眼秃鹫。

秃鹫是一种丑陋而笨拙的鸟类，贝克并不喜欢它们。在陆地上时，秃鹫的黑色羽毛和弯曲的颈部让它们像是穿着破旧西服参加葬礼的老年男子。在空中飞翔时，秃鹫看起来非常具有威胁性，仿佛在寻找地面上死亡的气息。

“你记得曾告诉过我，秃鹫往往是出现问题的第一个迹象吗？”贝克盖过吉普车的颠簸声大喊，“抬头看那里……”

第六章

濒死的犀牛

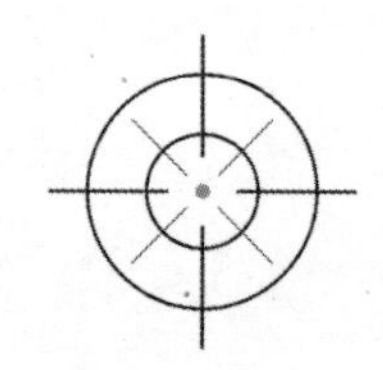

萨穆拉和阿尔伯伯知道该怎么做。阿尔伯伯转了个弯，吉普车离开了道路，开始朝着秃鹫盘旋的地点开去。

“我告诉过你秃鹫也遭遇了偷猎问题吗？”萨穆拉问。

“没有……”贝克说。

“偷猎者杀死犀牛，秃鹫就会在上空盘旋。守护员会根据秃鹫的位置发现犀牛的尸体——为了解决这个问题，现在有些偷猎者会在犀牛尸体中下毒，死秃鹫是不会在上空盘旋、向守护员发出信号的。在交配季节，一头犀牛的尸体会杀死多达600只秃鹫。而且，杀死成年秃鹫等于也杀死了它们的孩子，因为没有人会给这些小秃鹫提供食物，所以杀死一头犀牛等于杀死了1200只秃鹫。”

贝克摇了摇头。“这让你很难受，对吧？这么多无辜死去的秃鹫。”贝克看了看天空。

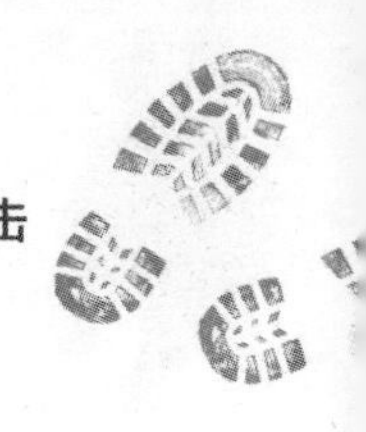
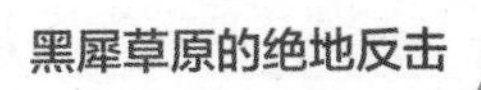

五六只秃鹫在灌木丛上方盘旋着。它们用宽大的黑色翅膀，借助热气流在空中轻巧地飞翔着。一只秃鹫落到了地上，这意味着灌木丛中肯定有落脚之处。

阿尔伯伯驾驶着吉普车绕着灌木丛走了一会儿，然后找到了进入灌木丛的入口。吉普车钻进了灌木丛中，然后停了下来。

一头犀牛侧躺在地上，贝克的心沉了下去。但他很快看到了犀牛角，角还在犀牛的头上。这头犀牛不是偷猎者杀死的。

在接近犀牛后，贝克可以看到它的身体还在不断地起伏。犀牛还活着，因此秃鹫还没有勇气靠近它。秃鹫不是猎杀型鸟类——它们更喜欢等待其他动物捕猎留下的尸体。

三四只秃鹫落在了附近，它们在默默地等待。看到吉普车逐渐接近它们，秃鹫笨拙地飞了起来。

阿尔伯伯握住了钥匙。

“等一下……”贝克说，他在座位上立了起来，“我们首先要确定这附近没有愤怒的犀牛。这花不了多长时间，但如果冒失地冲出去，你可能会受重伤！”贝克露出了调皮的笑容。片刻后，阿尔伯伯熄灭了引擎，三个人一起下了车。

这是头母犀牛。他们能够看到朝上的犀牛眼睛是半睁着的。犀牛的耳朵不断抖动，企图赶走苍蝇。大量的口水

顺着犀牛厚厚的嘴唇流了下来。犀牛宽大的嘴巴两侧的鼻孔发出了巨大的呼吸声。呼吸声仿佛来自机器而不是动物。

贝克三人小心地靠近犀牛，一边走，一边看着四周，以确保没有危险。

萨穆拉温柔地把手放在了犀牛身上，犀牛没有动弹。“我觉得它不是被枪击了。”萨穆拉说，“它只是病了。”

贝克想起了偷猎者对付秃鹫的伎俩。“它是中毒了吗？”

“应该不是。偷猎者只会在犀牛死后才会对它们下毒。我们需要找到兽医。吉普车里有无线电吗？”

“我没看到无线电。”阿尔伯伯阴郁地回答。他回到了吉普车上。片刻后，他说：“没有无线电。”

“木屋里会有人知道该如何治疗这头犀牛。”萨穆拉说。

“我们正好要回去。你们两个快回到车上——”

“我想留在这里。”

阿尔伯伯抬起了眉毛。“我很尊重你，萨穆拉，你对这里比我们更了解，但留在这里真的安全吗？这里可能有狮子，有鬣狗……”

“所以你更要快一点。”萨穆拉简单地说。

阿尔伯伯没有和她争吵，这里相当于萨穆拉的第二个家。“好吧。贝克，我们走——”

“不。”贝克说，“我也要留下来。”

贝克和阿尔伯伯的目光碰到了一起。贝克知道，阿尔伯伯想到的是比狮子和鬣狗更可怕的敌人。

贝克不知道萨穆拉能够为犀牛提供什么样的帮助，但如果真的能帮到犀牛的话，他也想留下来。

“他们不可能知道我们在这里，阿尔伯伯。”贝克小声说。只有阿尔伯伯知道“他们”是谁。“你也不想萨穆拉一个人留在这里，对吧？”贝克迅速地补充说，“本来你可以留在这里，但我不会开车。”贝克调皮地说。

终于，阿尔伯伯点了点头，然后回到了驾驶座上。“我可能需要一个小时的时间，但那要看木屋里的人动作有多快。”

吉普车倒车退出了灌木丛。贝克、萨穆拉和濒死的犀牛留在了原地。

贝克第一次伸手摸了下犀牛。

贝克的动作充满敬意。毕竟，没有人喜欢陌生人突然走过来摸自己。贝克触及的皮肤很像温暖、干燥的泥巴。他很难想象这是一个动物的皮肤。

“摸它脖子的下方。”萨穆拉说，“它们很喜欢这样。”

贝克按照萨穆拉的指示做了。和其他部位的硬皮不同，犀牛脖子上的肌肤像婴儿一样柔软。贝克觉得很幸运，自己居然有机会安慰这么巨大的动物，虽然这种安慰是那么微不足道。贝克和萨穆拉都愚蠢地忘记把水瓶从吉普车上拿下来。不然的话，现在他们还可以让犀牛喝一点水。

“你能看出它身体出了什么问题吗？”

萨穆拉缓缓地绕着犀牛走了一圈。她用手指按了按犀牛身上的每一处缝隙。

“犀牛没有受伤，没有被枪击。除了人类之外，犀牛没有天敌。它可能被细菌感染了——它流出的口水可不是好迹象。”

贝克想起了在来约翰内斯堡的飞机上看到的一条新闻。那是阿尔伯伯在读的一本杂志上的头条。“它是不是感染了‘鼻病毒’？”

萨穆拉忍住了大笑的冲动，但她还是露出了微笑。“贝克，那是人经常会得的普通感冒！犀牛是不会感冒的！”

“哦，原来是这样……”贝克感到自己的脸红了。然后，他们一起笑了。

贝克又摸了摸犀牛的脖子，萨穆拉则继续检查着犀牛的身体。萨穆拉拉起了犀牛厚厚的眼皮，看了看犀牛的眼睛。

“这里有几只蜱虫，不过这是正常的。有时犀牛会因为采采蝇传播的锥虫病而倒下——它们会慢慢地虚弱。但我们需要进行血液测试才知道它究竟得的是什么病。”

萨穆拉蹲在犀牛的后面，用湿润的眼睛凝视着它。“也可能是绞痛。它的肠子可能绕在了一起——这让它无

法消化食物。食物会慢慢腐烂并让它中毒。”

“兽医能为它做点什么？”

“他们可以看看我的判断是否正确。如果是锥虫病，那么兽医用抗生素就能把它治好。如果是肠绞痛——”萨穆拉的嘴角抽动了一下，“那么我们需要把它的肠子理顺。兽医要把手伸进去，通过触觉，看看是什么堵住了，然后把它弄通畅。你懂的！”

萨穆拉想开个玩笑，而贝克也确实笑了，但他接着皱起了眉。萨穆拉的笑容也很快被愁容所取代。贝克知道这对她来说一定是痛苦的经历：眼睁睁地看着心爱的犀牛慢慢死去，一点也帮不上忙。

在等待兽医的时间里，他们只能尽量让犀牛感到舒适。萨穆拉挠了挠犀牛耳朵后面的皮肤。如果这是这头犀牛留在世上最后的时间，他们希望它至少能够尽量舒服地度过这段时间。阳光就快消失了，即将下山的太阳已经被灌木丛所掩盖。贝克觉得这头犀牛恐怕看不到第二天的日出了。

突然，犀牛用鼻子呼出了气。这是它的最后一口气。犀牛的身体停止了扭动，它的眼皮不再跳动，终于安静了下来。

萨穆拉咬住了自己颤抖的嘴唇，把头低了下来。贝克迟疑地伸出了手，抱住了萨穆拉的肩膀。“我很抱歉。”贝克说。萨穆拉紧紧抓住贝克的手，她哭了。

贝克听到了远方引擎的声音。声音在快速靠近，很明显，司机在不断加速。“太晚了。”贝克嘟囔了一句。

贝克和萨穆拉站了起来。他们知道阿尔伯伯和兽医就要来了。但是，穿过灌木丛的吉普车并不属于绿色力量。

贝克的第一个想法是詹姆斯又找到了他，但那不是昨天他看到的有着染色玻璃的黑色吉普车。那是一辆破旧的卡车，卡车的后面盖着帆布。卡车突然在他们面前停了下来。

贝克不知道究竟是他和萨穆拉更吃惊，还是车上的两名男子更吃惊。

两名男子都盯着他们。司机下了车，他戴着破旧的软草帽，手中拿着一把猎枪，猎枪上挂着长长的、弯曲的弹仓。司机用一种贝克听不懂的语言，对车上的另一个男子发出了命令。

另外一个男子以更缓慢的动作从车上爬了下来。他拿着猎枪，用一根手指敲打着扳机护圈。很明显，他在考虑自己是否有必要开枪。

“贝克……”萨穆拉小声说。贝克不需要萨穆拉告诉自己这些人是谁。

他咽了口唾沫。

这些人就是偷猎者。

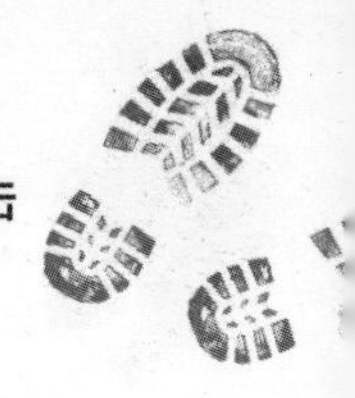
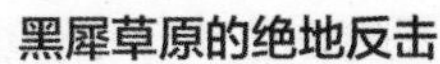

两个男子开始谈话，他们语速很快。然后，司机回到了车上。回来时，他手中多了一把钢锯和一个棕色麻袋。

贝克突然意识到他想做什么。“不！”

贝克挡在了犀牛和男子之间。男子一把就把贝克推到了一边。萨穆拉也冲了上去，但也被一把推开了。等贝克站起来时，男子已经蹲在了犀牛身边，并开始用钢锯来锯犀牛角的底部了。

当贝克准备再次扑过去时，第二名男子喊道：“嘿！”他举起了手中的猎枪，瞄准了贝克。看起来，他已经做好了扣动扳机的准备。

贝克和萨穆拉没有办法，只得待在一旁，眼睁睁地看着男人残忍地锯下犀牛角。目睹这一幕让萨穆拉不禁流下了眼泪。贝克和萨穆拉不得不转开了目光——但他们无法让自己不去听钢锯发出的凄厉声音。

几分钟后，犀牛角被锯了下来。贝克转过头去，看见犀牛的头上出现了流着血的大洞。他感到有些恶心。在他身边，萨穆拉还在哭泣。

站在他们面前的男人晃了晃手中的枪，然后问了他们几个问题。

“你们是谁？你们在这里干什么？”男子用葡萄牙语问。

“我们想帮帮这头犀牛。”萨穆拉回答。她把这番话翻译给了贝克。

“他们是哪里的人？”

“他们是莫桑比克人。他们说的是葡萄牙语。”

“嘿！”男子不喜欢贝克和萨穆拉用英语窃窃私语的行为。他粗鲁地在两人面前挥舞着枪，然后又问了更多的问题。萨穆拉尽可能地用平静的口气回答了他的问题，但她的声音在颤抖。

这不奇怪，贝克想，毕竟，枪就指着他们，惊恐是自然的反应。

这不是贝克第一次被人用枪指着，但他比萨穆拉也好不了多少。贝克整个身体都十分紧张，脖子上的汗毛都因为警觉而立了起来。

贝克隐隐觉得事情终将以悲剧收场。

“哼。”男子仿佛很恶心。他走到了自己的朋友身边。

贝克和萨穆拉看着他远去。在看到偷猎者手里的血淋淋的犀牛角后，贝克感到自己内心的怒火又被点燃了。

“我们要杀了他们。”拿着枪的男人说。听到这句话，萨穆拉惊呼一声，浑身僵硬。

“他们看到了我们的面孔。”

萨穆拉的脸色已经变得苍白了。她开始为贝克翻译这段话。“他，他说，要杀了见过他们面孔的我们。”

“我干这行不是为了杀死小孩！”拿着犀牛角的男子大声抗议。

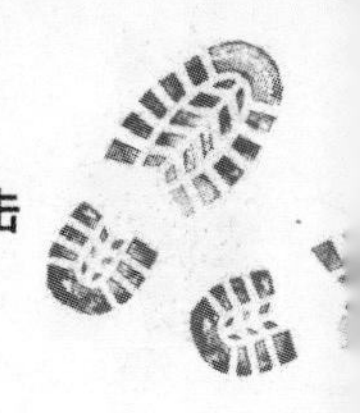

萨穆拉小声地把这句话也翻译给了贝克。

贝克什么也没有说。他之前见过干坏事的人们反目成仇。

两名男子还在争吵。

“看来他们会动手的。”贝克小声说。他的心脏跳得很急促。贝克朝左边点了点头。“我朝这个方向跑……”他又看了看周围。

拿着枪的人又转过身朝他们走来。贝克和萨穆拉都做好了逃走的准备。这是他们活命的最后机会了。但就在此时，男子挥了一下枪。

“去后面。”他突然命令，“老板决定。”

虽然吉普车也很不舒服，但已经比坐在卡车后面好太多了。一根旧绳子紧紧绑住了贝克和萨穆拉的手脚。天已经完全黑了。在帆布下，他们甚至都很难看清对方。空气还是那么炎热。

卡车后没有座位，只有生锈、肮脏的金属底板。卡车在草原上奔驰着。贝克和萨穆拉的双手被绑在了背后，他们几乎无法扶住任何东西。他们刚刚挣扎着坐起来，卡车就会在路面撞到障碍，让他们再次跌倒。

在这个移动的监狱中，贝克挣扎着来到了卡车的一侧。他把头低了下去，企图通过帆布的缝隙看看外部的情景。卡车的再次颠簸让贝克的下巴磕到了护栏上，他不得不忍自己想要咒骂的冲动。

“你在做什么？”萨穆拉问。一开始，他们觉得自己只能小声说话。但卡车内噪声太大，除非他们刻意大喊，不然驾驶室的人是无法听到他们的对话的。贝克觉得前面的人也不一定想听他们在说什么。

“我想看看星星。”贝克说。他把头放在护栏上，努力眯着一只眼睛，企图看到外面。“如果我能看到星星，我就能判断出我们在朝什么方向前进，以及我们已经走了多远。”

“你的确是个聪明的孩子，贝克·格兰杰。”萨穆拉顿了一顿，“但我的手表上有 GPS。”

贝克扭过头看着萨穆拉。贝克只能看到萨穆拉的身影，但他很肯定萨穆拉正在笑。

“好吧。”贝克把自己挪到了萨穆拉的身旁。

想要使用萨穆拉的手表并不容易，他们必须背靠背，然后贝克只能靠自己的手来把手表调到 GPS 模式。之后，贝克必须迅速转身，因为手表显示 GPS 数据的时间一次只有二十秒。

终于，他们设置好了 GPS。贝克看到的信息和他之前想的一样。

他们正在穿越边境，进入莫桑比克。

第七章

为蛇预留的距离

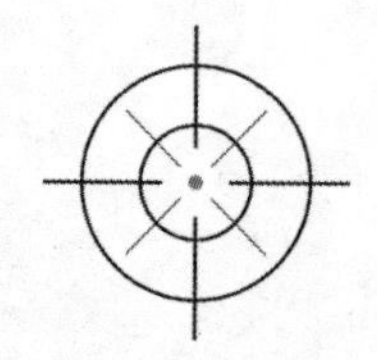

贝克和萨穆拉只能等待卡车停下来。

他们已经探索了车厢里的每一寸空间，但并没有发现任何可以帮到他们的东西。所有的工具和武器应该都在驾驶室里。

贝克走到了车厢边缘。帆布被系在金属护栏上。但捆着帆布的纽带在车外。即使贝克没有被绑起来，他也无法把手伸出去。卡车后门的螺栓也在外面。

贝克不时地利用萨穆拉的手表计算他们的位置，并自动地换算成他们需要步行的距离——假设他们能够成功逃脱的话。

不——他们一定能够成功逃脱。贝克有这样的信心。

但他们是不可能从这辆卡车中逃脱的。他们必须到目的地后再行动。贝克希望他们不要去离边境太远的地方。

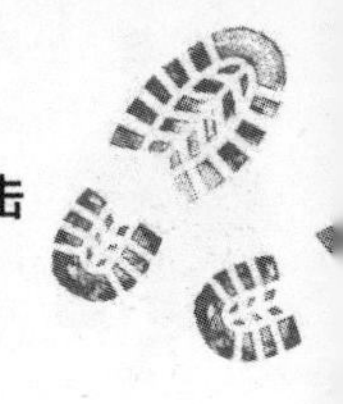

又过了三个小时，卡车才突然停了下来。惯性让贝克和萨穆拉摔倒在车厢前侧。橘红色的灯光透过帆布照了进来。贝克听到几个男人在用葡萄牙语交谈。突然，帆布被解开了，后门也被打开了。之前拿着枪的男子用手势急促地比画着。

“下来！”

贝克虽然不懂葡萄牙语，但他也懂男子的命令。他们走到卡车后侧，然后被拉下了卡车。他们勉强没有摔倒，但贝克还是跌跌撞撞。他感到脚一阵刺痛。在被抓住后，他一直没有站起来过，而绳子让他身上的血流不太顺畅。

他们面前是一小块空地。空地四周是低矮的建筑，有些建筑里有人，还有一些只是储物库房和外屋。贝克觉得他们面前的人简直太多了——贝克没有转头，就看到除了抓他们的两人之外，还有五名男子。人越多，他们逃脱的难度就越大。

几名男子正在和绑架他们的两名男子激烈地争吵着。

萨穆拉来到了贝克身边。她看来站得也不太稳。“他们想知道为什么要把两个孩子带回来。”萨穆拉小声说。跟之前贝克猜测的一样，男人们是在争吵这个主题。

带贝克和萨穆拉回来的两名男子之一抓起装着犀牛角的麻袋。这似乎让其他人安静了一些。

一名男子走了过来。他从腰间拿出了一把钢刀，一边

残酷地微笑着，一边用刀在贝克和萨穆拉面前比画。贝克觉得自己的心快要跳出来了，但他咬住牙，紧绷着身体，随时准备扑上前。如果他们用刀而不是枪，那么贝克一定会反抗，这可能会制造出混乱，让萨穆拉有机会逃脱。

但男子只是蹲了下来，用刀割断了绑在萨穆拉脚上的绳子，之后又把贝克脚上的绳子割断。虽然手上的绳子还是捆着的，但他们现在可以正常行走了。

贝克先是用一只脚跳了一会儿，然后又换了一只脚。他知道这样可以让自己的血液快速流动，但一个人在贝克腰部推了一把，这让贝克跌向了一个外屋。和附近的其他建筑一样，外屋离地面有一段距离，这让蛇和其他爬行动物不会骚扰屋里的人们。

贝克一只脚迈上了外屋的台阶。此时，一个声音说："嘿！"

贝克和萨穆拉都停了下来。拿着刀子的男子把手伸到了萨穆拉背后，一把抓住了她被捆在一起的双手。在男人把她的双手举起来看她的手表时，萨穆拉不禁皱了皱眉。男子把表带从萨穆拉的手上解开，然后拿下了她的手表。

"这是你们的出租车费！"男子一边笑着一边举起了手表。

另一个男子也摘下了贝克的手表。贝克和萨穆拉又感到有人在推他们。他们回过头，看到其他人也凑了过来，摆弄着他们最新的昂贵玩具。

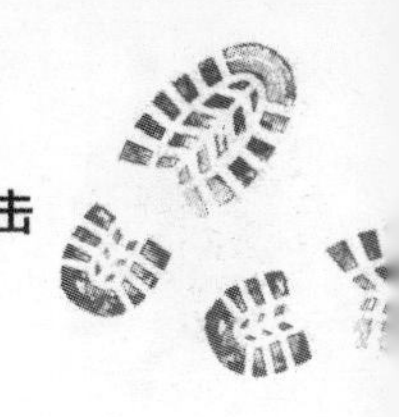

贝克很高兴他们没有把手表调到 GPS 界面。他可不想让这些人知道，自己其实知道这是什么位置。

木屋里几乎和卡车里一样暗。窗户上钉着胶合板，只有一点点光线从缝隙处透进来。贝克看到屋里有陈旧的木床架、一张桌子和几把椅子。他和萨穆拉又被推了一把，然后跌跌撞撞地进入了房间，门被关上了，他们听见钥匙锁门的声音。之后，台阶上传出了脚步声，然后，一切恢复了寂静。

在黑暗中，贝克和萨穆拉相互看了一眼。他们的脚上没有绳索，但手还是被捆着的。

“现在我们没有手表了。”萨穆拉说。

贝克摇了摇头。“我记住了我们现在的位置。”

萨穆拉笑了。很明显，她不相信贝克。

贝克当然记住了他们的位置，经纬度只不过是个十四位的数字，这能有多难记?

“你真的记住了吗，贝克？”萨穆拉问。

贝克没有回答。他正在搜索木屋。

“好。让我们看看屋子里都有什么，这样我们才能快一点离开这个鬼地方。”

搜索屋子并不需要太多时间。这里没有任何实用的工具——至少没有任何贝克一眼望去就觉得有用的工具。即使只是刀叉，对贝克来说都有价值。

贝克走到木屋的后端，仔细看了看木板，包括墙壁和地面的木板。他们是不可能从前门逃跑的，因为所有人都聚集在那里。如果他们想从这里逃脱，他们一定要从后面走。

贝克蹲了下来，仔细地看着地板。地板是用钉子而不是螺丝固定的，这让贝克有了一线希望。钉子会直接嵌入地板中，也能够被直接拔出来。

木板之间是有缝隙的。贝克觉得地板和地面之间的距离勉强够他和萨穆拉爬行。或许可以把什么东西塞到缝隙中，把地板撬开。

但在那之前，贝克和萨穆拉必须把手上的绳子解开。

“走到这里的光线前。”贝克说。

萨穆拉走到窗户旁。贝克看了看她手上打的结，觉得自己一定能把它解开。

打绳结的专家都知道如何先把每只手绑住，然后再把两只手绑在一起。这样打的结是解不开的。但绑架贝克和萨穆拉的人不是专家，他只是努力把绳子的两端缠在一起并拉紧。

这样打的结还是很紧，但从理论上来说，贝克是可以解开的。贝克每次绷紧肌肉时，结就会松开一点。但问题是，这么做可能需要数个小时才能把结解开，而届时粗糙的绳子早就把贝克的皮肤磨坏了。

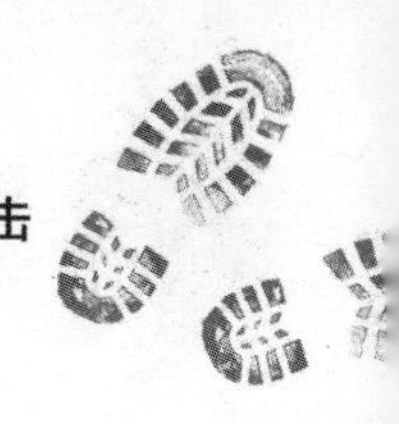

“好……”贝克转过身去，和萨穆拉背靠背。这样，贝克就可以摸到萨穆拉手上的绳子。贝克咬了咬嘴唇，然后全神贯注地开始对付绳子。贝克知道，为萨穆拉解开绳子比给自己解开绳子要容易得多，但前提是贝克需要看到绳子。而且，绳子已经很陈旧了，贝克很难背对着萨穆拉，用指尖解开光滑的绳子。

“我们需要把什么东西插到绳子中去……”

如果能够找到什么东西来帮助自己承受绳子的压力，他就能更快地把结解开。贝克又看了看屋内。

“那把椅子看起来并不结实。”萨穆拉建议。

那把陈旧的木椅已经开始摇摇晃晃了。木椅的腿、座位和支杆拼插在了一起。只要贝克能够抽出任何一根木棍，都能为他提供巨大的帮助……

贝克不愿意打碎木椅——这可能会发出太大的声音。

“好！”贝克走到木椅前。他转过身后，笨拙地用自己被绑在一起的手把木椅举了起来，“你也试着抓住木椅……知道了吗？”

贝克和萨穆拉又变得背靠背，这次他们之间多了一把椅子。

“抓紧木椅，向前走！”

制作木椅的人使用的是胶水，而且，那是许久之前的事情了。在这漫长的过程中，胶水很可能早就失效了……

贝克和萨穆拉努力朝不同的方向前进。他们绷紧肌肉，咬紧牙关。胳膊上绳子带来的不自然的勒力让他们的肩膀都很痛。但突然之间，木椅一下子四分五裂。贝克和萨穆拉都跌了过去，他们手中各拿着几块木头。

“太好了！”

贝克手中拿着座位、一条椅腿和一个支杆。支杆的一头是尖的，它本该插在另一条腿的洞里。这正是贝克所需要的。他和萨穆拉又把支杆从椅腿上拉了下来。贝克获得了一个尖头、圆形、和学校用的尺子差不多长的木头。

“再转过身去……”

贝克又看了看萨穆拉手上的绳子。他想找到绳子中最薄弱的一点。贝克转过身去，凭借着自己的记忆，笨拙地把支杆尖的一头插在了绳子之间的缝隙中。他能感到支杆插入了缝隙。他开始用力，把支杆插了进去。

“成功了！我手上有感觉了！”萨穆拉说。木头把绳子中的缝隙撑大了，支杆所能提供的力度和压力远远超过了贝克的手指。接着，支杆掉在了地上。萨穆拉向前走了一步，她摇了摇手，挂在手上的绳子脱落了。萨穆拉自由了。

“好了！该你了！”

萨穆拉以更快的速度用支杆把贝克手上的绳子撬开了。贝克伸展了一下身体，让肌肉有机会得以放松——他的胳膊被绑在背上的时间太久了。贝克感到血液再次流到

了胳膊中。

“现在，”贝克说，“我们该离开这里了。”

首先，贝克把绳子缠在腰间。“以防万一！”贝克平静地说。

之后，贝克捡起了木椅的一条腿。它比支杆更结实，更适合用来撬地板。

地板上只有一条缝隙有足够的空间插入椅子腿。贝克走了过去，把椅子腿深深地插了进去，然后用力把椅子腿拉起，想用这个动作把地板撬起。

这并不是件容易的事。贝克不愿因为用力过猛把椅子腿折断。虽然还有三根备用的椅子腿，但折断椅子腿发出的声音可能会引起外面人的注意。地板应该是在很久之前就被安好的。想让木板移动不简单。

贝克咬紧了牙，一次次尝试着。汗水从他的额头流入眼睛中。地板开始一毫米、一毫米地移动了。

终于，木板翘了起来。贝克和萨穆拉把手指伸进去，然后四肢发力，努力去抬木板。在钉子发出了抗议般的吱嘎声后，木板终于被抬起——这个声音挺像大象的怒吼，贝克想。

外面没有任何动静。贝克和萨穆拉胜利地看着下面黑暗的空间——这个空间只有约 20 厘米宽。

“你虽然瘦，”萨穆拉说，“但你没有这么瘦。”

“这说明我们需要再来一次……”

刚才，贝克可以把椅子腿插到缝隙里使劲。但现在缝隙太大了，椅子腿已经没用了。贝克思考了片刻，然后蹲了下来，把衬衫从头上脱了下来。

“你很热吗？”萨穆拉问。

贝克只是笑了笑。他趴在了缝隙前。贝克把衬衫蒙在椅子腿上，然后小心地把它插入两块木板之间的缝隙中，放在了自己想要继续撬开的木板下面。

贝克双手握紧椅子腿，然后用力地把它抬起。椅子腿重重地击中了木板，隐隐发出了声音。衬衫降低了椅子腿可能发出的声音。外面的人无法听见里面在干什么。

“它动了一下。”贝克哼了一声，然后再次重复同样的动作。在第四次时，木板终于抬高了一厘米。

这已经足够贝克和萨穆拉把手指伸进去了。他们使劲抬着木板。木板不断发出吱嘎声。贝克觉得这个声音连约翰内斯堡的人都应该能听到，但外面并没有传来怒吼的声音。等他们把第二块木板抬起后，地板上已经有足够一个人进出的空间了。

贝克穿上衬衫，然后把椅子腿伸进了缝隙中探索。地板和地面之间的距离是为蛇预留的。这样设计的后果之一就是下面可能真的有蛇。

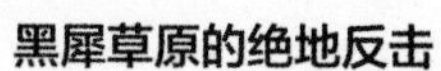
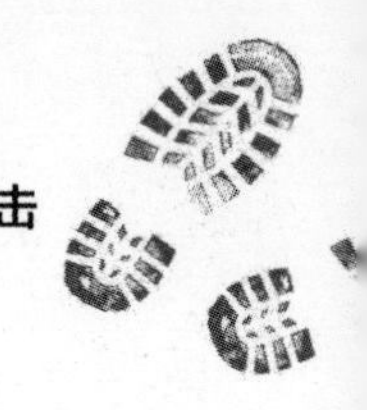

但椅子腿没有传来任何信号。贝克把手伸进缝隙，连续敲了两次干燥的地面。这是他发出的信号。

“如果蛇知道有人经过，它们多半会绕道而行。”贝克解释说——突然，他意识到萨穆拉出生在非洲，而且是在野生公园长大的。

“但曼巴蛇不会躲开。”萨穆拉开口说话了，她白色的牙齿在黑暗中闪闪发光，“它们会迎上来攻击你，而且它们有剧毒。”

萨穆拉说完这句话后，贝克的双脚已经快触及地面了。他停顿了片刻，但很快又想：怕什么！贝克慢慢滑落到了地面上。地板现在已经到了他腰间的高度。贝克蹲了下去，屏住了呼吸，因为地板和地面之间的空间并不大。

很快，萨穆拉跟着下来。他们一起爬到木屋的一角，心脏越跳越快……

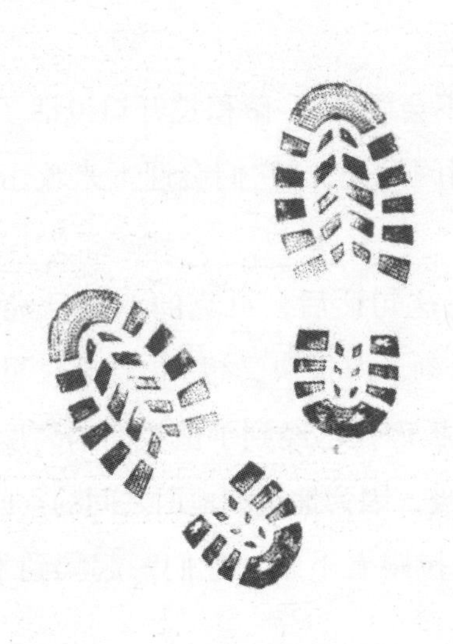

第八章

第二声枪响

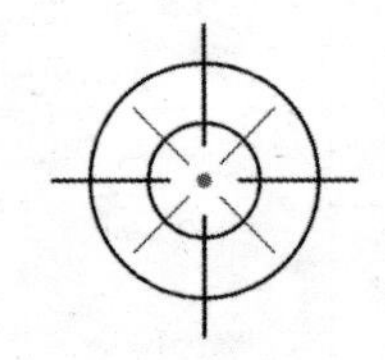

木屋下的空间有着干燥冰冷的地面和木头混合在一起的气味。贝克看了看前方的空地。在台阶之外是把他们带到这里的卡车，卡车旁边是一些建筑。有些建筑里面有灯光，有些建筑则是黑暗的。贝克看不见任何人，但他可以听到说话声，还有录音机在播放音乐。

贝克转过头看了看另一个方向。他看到距离自己数米远的地方有一些建筑物。在更远的地方，借助月光看到干燥的草丛和灌木丛。但在灌木丛和建筑之间有一片空地。贝克和萨穆拉可以冲向灌木丛，但如果……如果……有人向那里望了一眼，他们一下子就能看到贝克和萨穆拉的身影。

但这是贝克和萨穆拉必须承担的风险。

“来吧。”贝克小声道，“小心曼巴蛇。”

他们一起在阴影中朝着空地爬行着。贝克用椅子腿扫

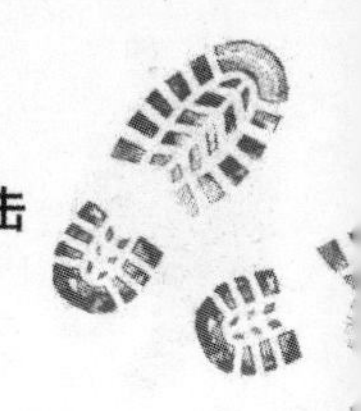

荡前方的地面。他无法完全看清地面，他不想把手伸过去时被什么东西咬到或蜇到，也不想不小心被绊住。万一在这里被蛇咬到就糟透了。灌木丛里可没有医疗服务。

从木屋下爬出后，萨穆拉就紧跟在贝克身后。他们一起望向了灌木丛。再有十秒钟，他们就能到达空地了。

“准备好了吗？”贝克问。他把椅子腿别在腰间。椅子腿长度适中，而且很坚固——这是个顺手的工具，比他们在路上随便找到的树枝强多了。“好，我们——”

黑暗中发出的枪声让贝克迅速转过了头。又是一声枪响。第二声枪响和第一声略有区别，这意味着有人交火了。之后，接连不断的枪声打破了夜晚的平静。这不是有人无聊打枪解闷。这是一场枪战。

贝克和萨穆拉相互看了一眼。在月光下，他们都睁大了眼睛。

“这是你爸爸的同事来找我们了吗？”贝克问。

萨穆拉耸了耸肩。她和贝克一样一无所知。“也可能是警察或者军队……偷猎者有很多敌人。也可能是其他偷猎者在攻击他们。”

贝克和萨穆拉都知道现在现身是不太明智的选择。

“让我们继续躲在这里，看看事情到底会是什么样的结局。”贝克小声说，“如果来人是好人，那就太好了——但如果不是，我们要做好随时离开这里的准备。”

他们把头从木屋的一端探了出来。偷猎者已经从屋子里走了出来。他们正在小心翼翼地包围空地，每个人眯着眼睛凝视着黑暗。每当偷猎者看到什么东西时，他们都会立刻开枪。之后，枪口会喷出短剑一样的黄色火焰。

有时，有人会对偷猎者进行还击。还击的子弹来自不同的方向。偷猎者仿佛已经被包围了。贝克再次看了看自己身后的灌木丛。那里仿佛没有人。

“嘿，那应该就是他们的车。”萨穆拉突然说。她拉了拉贝克的胳膊，然后朝一边望了过去。

那是贝克之前没有看到的一个方向。黑暗为深色的汽车提供了很好的掩护。贝克能够看到汽车，是因为汽车有些部分在月光下会反光，比如引擎盖和保险杠。突然，贝克的大脑仿佛魔术般地把所有细节都拼在了一起——他的心沉了下去。

这是他在约翰内斯堡见过的黑色吉普车——这意味着詹姆斯或他身边像银背猩猩一样的健壮男子正在和偷猎者交战。

有一个事实是无法否认的：路莫斯来了。

“他们又来了。”

“怎么了？”萨穆拉问。

贝克意识到自己无意中自言自语了。“这是个很长的故事。但我可以告诉你，这辆车不是来救我们的。”

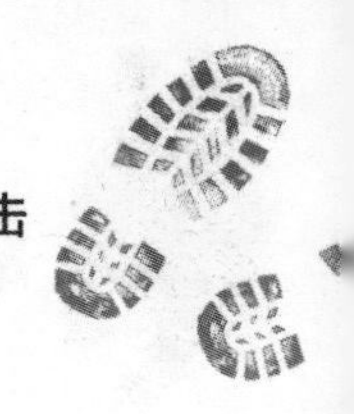
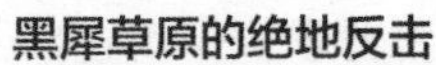

银背猩猩是怎么找到他们的?

“我们必须跑到灌木丛中去，然后从这里消失。”贝克迅速地说。

萨穆拉没有问为什么，而且，他们现在已经没有时间了。

“来吧——跟上我。”贝克小声说。他们快速地来到空地，远离了偷猎者和黑色吉普车。

贝克一边跑一边看着阴影。他可不想被詹姆斯的其他帮手偷袭。

很快，他们来到了灌木丛。他们放缓速度，开始隐蔽在灌木丛中小心前行。

枪声和喊叫声逐渐在他们身后变小了。贝克和萨穆拉停下脚步，努力想听到什么。突然，车门关上了，强有力的引擎启动了。这是黑色吉普车发出的声音——黑色吉普车比贝克想象中更近。贝克听到吉普车在掉头过程中发出的碰撞声。吉普车没有开灯，司机知道这会让凶悍的偷猎者看到自己身在何处。在冲过挡在面前的灌木丛后，吉普车在夜里消失了。

终于，夜晚又恢复了平静。在习惯忽略昆虫的叫声之前，草原的声音又充斥在他们耳中。

“好了。”萨穆拉说，“我觉得你应该给我解释下这到底是怎么回事。”

“我会解释的，”贝克说，“但首先我们要离开这里。

我们进入了莫桑比克，对吧？”

“对。我们应该是在，嗯，莫桑比克境内十几公里的地方——不会比这更远。但这里仍然是克鲁格国家公园，只要碰到守护员，我们就得救了。”

“没错，但对于守护员来说，想找到我们无异于大海捞针。而且，我们已经离开了南非，身上也没有带护照。”贝克指出，“即使最友善的守护员也会立刻通过无线电把我们的事情通报上级。”

萨穆拉抬起了眉毛。“这样不好吗？”

“不好。”贝克很坚定。

贝克有过痛苦的类似经历。他知道路莫斯的人无处不在。在回到阿尔伯伯、伯加尼和阿西娜身边之前，贝克觉得自己都不安全。

“所有的道路上都有检查站。”萨穆拉说，“但除此之外，两国边境没有栏杆或障碍物。他们不想干扰动物的自由迁徙。我们可以这么回国。”

“好。就这样吧。”这个选择很适合贝克。远离道路意味着减少撞到银背猩猩的可能。

“但贝克，如果我们不能让守护员找到我们，那我们要多久才能回去呢？”

贝克说出了自己的想法。“他们开了三小时的车，但路途上很颠簸。他们不是在道路上行驶的，所以他们的速

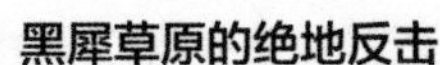

度肯定不快。应该差不多每小时 40 多公里吧？”

“最多 60 公里。那么破的一辆卡车不可能开得更快了。”

“所以我们应该一共走了 140 多公里到 190 多公里。如果我们一天可以走十小时，每小时可以走 4 公里——当然，我们中间会休息……”

萨穆拉咽了口唾沫，但她没有表示抗议。“一天走 40 多公里。”萨穆拉说。

“这样的话，我们三天就能走 140 多公里，四天就能走 190 多公里。”

他们沉默了片刻，同时思考了一下在克鲁格国家公园步行四天会带来什么样的后果。

“我们最好现在就上路。”

萨穆拉没有提出异议。她只是问：“我们该朝哪个方向走？”

贝克看了看天空。在此之前，他一直没有机会欣赏天上的星星。这是在伦敦看不到的景色。在城里，橘黄色的电灯光会完全掩盖天上的星星。在这里，他们离最近的电灯有几百公里的距离。贝克觉得这是自己与星星距离最近的一次——数以百万计的星星无处不在，像珠宝一样点缀着天空。

贝克甚至觉得，这可能是世界上最美丽的景色。

天空中有一道闪亮的光。第一眼看去，那仿佛是朵云

彩，但仔细看去，那是由大量星星组成的。那里不是有几百万颗星星，而是有数十亿颗星星。那就是银河的侧面。太阳只不过是银河中微不足道的一部分。

在伦敦或北半球的其他地方，贝克一定会先寻找北斗七星。通过北斗七星，他可以找到北极星。北极星是不会动的，它永远都在北方。只要找到北极星，贝克就能判断方向。

但在南半球，贝克是看不到北极星的。地球把北极星挡了起来。在这里，贝克沿着银河找到了煤袋星云。煤袋星云是暗色的，仿佛星星中的一块黑洞。煤袋星云并不是黑洞——阿尔伯伯曾告诉过贝克，煤袋星云距离地球600光年，它只不过是挡住了背后的星光。贝克一直觉得，星云比黑洞更帅气。

在找到煤袋星云后，贝克就能找到南十字座了。南十字座是由四颗星星组成的。贝克一直觉得南十字座像是一把匕首。匕首把儿很短，刃很长。匕首尖的星星和刀把儿右端的星星是天空中最亮的两颗星星。

南十字座有些倾斜。贝克眯起双眼，然后伸出一只手去测量南十字座的角度。贝克在脑海里在匕首把儿的两颗星星之间画了条线，并把线一直朝地面延长。在脑海中的线比匕首把儿长了约五倍后，贝克停了下来。然后，他让线直接朝下延长至地面上。

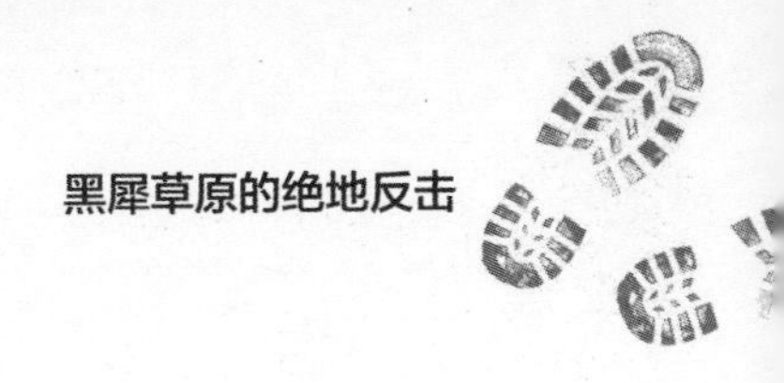

那里就是正南。

贝克向右转了90度。

“我们朝西走。”贝克说，“我们还可以在黑暗中前进几个小时。我们必须在他们看不到我们的时候尽量远离这里……”贝克的声音越来越小。

“怎么了？”萨穆拉问。

贝克咬了咬嘴唇。“我知道怎么在野外生存——”

“我知道。”

“我的意思是，我对很多环境都有所了解……但我从来没有在这样的草原中待过，这里有很多东西是我不熟悉的，比如一些攻击性极强的动物的捕猎手段。这些事情是不容犯错的。”

萨穆拉笑了。“你只要确保我们能够活下去就行。我来处理这里的野生动物，我了解它们的生活习惯。如何？”

“非常好。”贝克同意。贝克知道，这次他担当的角色跟以往大不一样，但他很感激并庆幸萨穆拉在他身边。

他们开始朝黑暗中前进了。

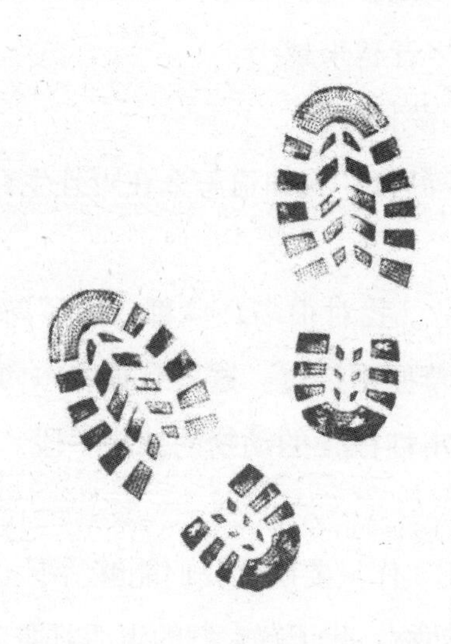

第九章

太阳移动了 15 度

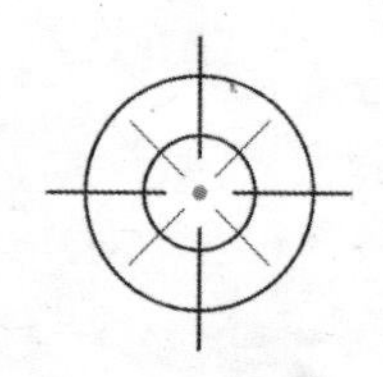

贝克一边走，一边把自己对路莫斯的了解告诉了萨穆拉。

“但我不知道他们是怎么找到我的……”贝克最终说道。

在沉默不语走了几步后，萨穆拉终于明白了贝克的困惑。

“追踪无线电。”

“什么？”

“这是我们追踪群居动物、独居动物甚至是鸟类的方法。你还记得大象吗？我们会在它们身上佩戴小型跟踪器。只要仪器运转良好，即使你到了世界的另一端，你还是可以继续跟踪大象。你肯定也能用同样的方法跟踪人。”

贝克一边思考，一边皱起了眉头。“但谁会有机会在我身上安装跟踪器呢？”

“不知道。你最后一次和我、阿尔伯伯、阿西娜、我爸爸之外的人打交道是什么时候？”

“应该……是在绿色力量的木屋里吧。在那之前……是在直升机吧？难道是飞行员？不，我没有接近他……还有，我刚才说的那个开着黑色吉普车找到我的人，那是在黑人城区里……在那之前，就只有机场了。”

没有人有机会在他身上安装跟踪器，对吧？贝克已经快要忽略这个想法了……就在此时，他想了起来。

在机场，贝克推着行李车在人群间穿梭。一个人重重地撞到了他。那种感觉让他觉得自己仿佛是一个弹球。

“好……等我一下。”

贝克停下脚步，看了看自己。太阳还没有升起，但是黑暗马上就要消失了。在太阳升起前的片刻，世界是灰色的。贝克眼中的自己也是灰色的。他只能看清楚自己身体的轮廓。

贝克开始拍打自己的衣物。如果有东西粘在他的身上，他肯定早就发现了，或其他人肯定早就发现了。

跟踪器不可能在自己的兜里——贝克经常把手揣进去。跟踪器也不可能是在贝克的腰带上——如果有人对他的腰带动手动脚，贝克肯定早就发现了。

但是……

贝克身上的确有一个口袋是他不会使用的，他衬衫胸前的口袋。贝克把手指伸了进去，然后摸到了一个小型塑料物。

它看起来只是一张SIM卡而已。而且上面没有闪光，也没有发出声音，但它的确是个电子产品。贝克之前从没有见过它。他把SIM卡举了起来。

“是它吗？”贝克小声问。

“就是类似的东西。”萨穆拉也同样小声说，虽然她知道SIM卡多半不会传播声音，“跟踪器必须体积很小。我刚才说过，我们有时会把它放在鸟的身上。”

贝克把SIM卡扔在了地上，然后抬起了脚。“如果你在偷听我，”贝克说，“我想告诉你，你被发现了。”

贝克一脚踩了下去，SIM卡被踩得粉碎。

贝克吃惊地发现自己的呼吸变得很沉重。SIM卡触动了他。知道自己一直在身上带着这个路莫斯的工具让贝克觉得有点肮脏。

“真恶心。”萨穆拉看着贝克。

“怎么了？”贝克又开始拍打自己。他以为萨穆拉又看到了一个跟踪器。

“这意味着你在经历了十二小时的飞行，在南非又待了一整天后，一直穿着同一件衬衫。”

贝克停下了手。“对，那是因为……”贝克忍住了想要闻自己腋下的冲动，“我今天早上没来得及换。”

“男孩子都这样。”萨穆拉诙谐地说。

他们又出发了。

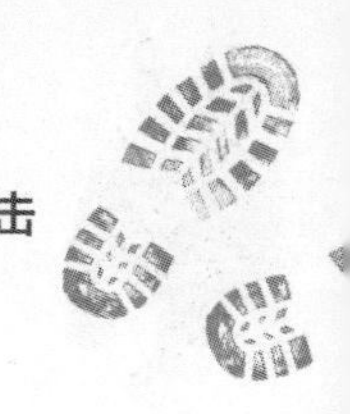

“但我的确换了内裤。”贝克用平静的语气说。

“那还好。”萨穆拉说。贝克用脚把SIM卡踩进了土中。

贝克和萨穆拉是背对着太阳前进的，以至于他们没有看到太阳升起。他们只看到四周逐渐被橘黄色的阳光所照亮，所有的阴影也都消失了。

太阳升起一定很壮观……但对于贝克来说，这是个坏消息。

这意味着天气马上就要变得炎热，他们也会变得更口渴。

偷猎者没有给他们水喝。他们的嘴和他们被带来前一样干。在很长一段时间里，逃离枪战的兴奋感给了他们动力。但在贝克向萨穆拉讲述路莫斯的过程中，他已经意识到自己的嘴越来越干。

萨穆拉肯定也有同样的感觉。贝克发现她的问题开始变得越来越少。在萨穆拉开口说话时，贝克从她的声音中也能够听出缺水的迹象。在舌头因为缺水而粘在口腔上方时，人的声音会逐渐变得模糊。

终于，萨穆拉开始谈论这个话题。

“我真想喝杯水。”萨穆拉努力想让这句话听起来像是漫不经心的玩笑。

“我也是。”

他们也同样需要食物——他们自从昨天午饭后就再也

没有吃过东西了——但他们可以一直饿着肚子走很远。现在，食物并不是问题。真正的问题是附近没有水。口渴只是问题的一部分，口渴很难受，但这不是致命的。真正的威胁是缺水。

“三周不吃饭，三天不喝水！”这是贝克的教官不断重复的一句话，“人类有三样必备品。这是人类在缺乏其中两样时所能坚持的极限。”当时，贝克迅速向教官提问，想知道第三样必备品是什么。教官笑了：“是空气。所以千万不要被困在水下，贝克！”

三天不喝水，这是极限。而且，能够坚持三天的前提是你没有在此期间耗费大量体力——比如在南非炎热的天气下，步行穿越草原。

但贝克也发现了一件好事情：他们穿的衣服很合身。贝克和萨穆拉都穿着适合野外行动的衣服。但如果找不到水，他们只能穿着这身衣服死去。随着缺水问题越来越严重，贝克和萨穆拉的器官会一个接一个地停止工作，直到他们的腿再也没有力量迈出下一步为止。

到了那时，他们的腹部会开始痉挛，这会让他们无法站立起来。然后，大脑也会停止工作。他们会开始产生幻觉——也就是完全失去思考能力。

最后，等待他们的只有死亡。他们会躺在地上，缓慢痛苦地死去。当然，还有更快速的死法，比如一只路过的

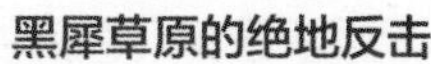

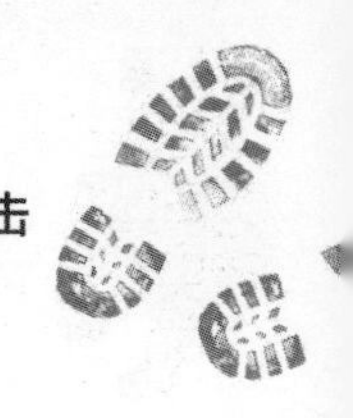

母狮可能会直接把他们吃掉。虽然同样痛苦，但这至少会加快死亡的过程。

想到狮子后，贝克咬了咬舌头，仿佛想让自己清醒过来。对于野外生存者来说，他们最需要的就是乐观的心态。你必须告诉自己，你肯定能够应对任何挑战。在脑海中想象自己会如何死去是无法让人变得乐观的。如果贝克继续这么去思考问题，那么他等于一只脚已经步入棺材了。

贝克决定观察下四周。现在，阳光已经照亮了周围。贝克用靴子的前端踩了下地面，然后弯下腰去捡起了一粒沾满尘土的石子。

"用鼻子呼吸。"贝克用自己的裤子把石子擦干净，对萨穆拉说，"用嘴呼吸会失去水分。用石子可以帮你把水分留下。"

贝克把已经变得干净的石子递给了萨穆拉。"把它放在你的舌头下。"

萨穆拉接过石子，充满疑惑地看了下贝克。贝克已经开始为自己寻找石子了。在找到石子并把它擦干净后，贝克把它放在了自己的嘴中。

"这会让你产生口水。"贝克意识到这听起来很讽刺，"这会让你的嘴湿润的。"

萨穆拉用舌头翻转着嘴里的石子。她抬起了眉毛，点

了点头。石子起作用了。

“但我们不会因此获得水分，对吧？”萨穆拉先把石子拿了出来，让自己能够把话说清楚，“我们只不过是在更高效地利用身体内的水分。”

“对。”贝克不得不承认，“但我们只能先这样。把石子放回嘴里，让我们继续前进吧。”

我们需要水。

这句话不断在贝克的脑海中出现。每次有这个念头后，贝克都会祈祷。

贝克知道，如果找不到水的话，他们的麻烦可就大了。

贝克是从父亲那里学会的祈祷：每天晚上，贝克的父亲都会蹲在窗边，祈求神能够照顾自己的儿子。从那时开始，贝克经常会祈祷——而不是只是在自己遇到问题的时候。神奇的是，贝克的祈祷经常会灵验。毕竟，他还活着，对吧？

“求你了。”贝克祈祷。

他们在一路向西前进。现在，他们至少可以看清自己前进的方向了。利用一个简单的原理，在白天辨别方向很简单。太阳会从东边升起。他们现在身在南半球，所以太阳会不断朝北移动，最后在西边落山。

地球每二十四小时会完成 360 度的完整旋转。这意味

着每过一小时，太阳就会移动15度。当然，在手表被偷猎者拿走后，贝克和萨穆拉是无法精确知道时间的，但他们可以从自己前进的距离中对时间进行大致估算。

贝克觉得他们可以以平均每小时5公里的速度前进。他会望向远方，找出标记。他们会朝标记前进。在到达标记后，贝克会寻找下一个标记，直到他们走完5公里的路程。在这个过程中，太阳会移动15度。通过观察太阳，他们可以判断西边在哪个方向。

贝克一边走一边思考找到水源的方法。如果他们能够找到一个干涸的河床，甚至是一条干涸的小溪，贝克也知道如何在地下找到水源。如果附近有树，他们也可以找到果子来补充水分。

贝克看了看前方。这里是草原，这意味着这里虽然有树，但树不是聚集在一起的，还意味着他们无法利用树林提供的阴影。在所有的树中，贝克只认得凸枣树——它是棕色的，约有15米高。凸枣树结实多刺的树枝可以用来做畜牧用的围栏，但这种树没有果子。

由于贝克一直在望向远方，他没有看到脚下的一个东西，险些踩了上去。

“嘿，小心！”萨穆拉说。

贝克勉强躲过了一堆粪球。每个粪球都有排球大小。粪球堆附近的土地上是足迹。足迹上有一道斜线的痕迹。

贝克立刻认出了那是大象的足迹。大象宽大的脚掌不会陷入土中——脚掌的形状确保了大象巨大的重量会被平均分配。因此，大象留下的脚印很平、很浅，看起来仿佛一个圆圆的盘子。

贝克兴奋了起来。他抬起眉毛，看了看远方和天空。

“这不是我所期待的，但还是非常感谢！”

贝克蹲在了粪球旁，用手指戳了戳粪球。

“贝克！”萨穆拉抗议，“你知道那是什么吗？”

“知道。这就是我们需要的水分。”

“但……这可是大象的粪便啊！”

“对，也是水分。在我和肯尼亚的马塞族人居住时，他们教给了我一个提取水分的方法。”贝克拿起了一个粪球，“大象需要吃很多植物并喝很多水——它们的消化系统也十分发达。我的意思是，你来看看这个。”贝克戳了戳粪球，“这其实就是一堆被大象咀嚼过的草和树枝。把它们粘在一起的是大象的胃液。”

“我知道。”萨穆拉说，“这也是为什么它们会得严重的绞痛。但你还没有——”

“这也就是说，”贝克继续说，“水分会留在……”为了让萨穆拉看清楚，贝克摇了摇粪球。

“粪球里。”萨穆拉露出恶心的表情，替贝克把话说完。

“对，粪球。如果粪球足够新鲜，那么它甚至是完全无

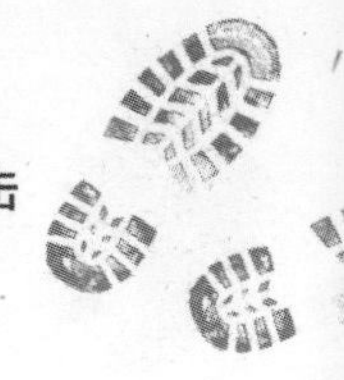

菌的。这意味着你可以挤压粪球，然后喝掉里面的水分。”

贝克知道行动胜于雄辩。他抬起头，把粪球放到了自己的嘴边，然后用力捏了一下。

“贝克，不要！”萨穆拉几乎尖叫了起来。但太晚了，黄色的水分从粪球中慢慢滴入了贝克的嘴中。贝克皱了皱眉，但他使劲按着粪球，直到整个粪球都被他捏碎。一些粪便溅到了贝克脸上。

“嗯。”贝克舔了舔嘴唇，又皱了皱眉。大象的粪球可能是无菌的，但它还是经过了大象的五脏六腑，并留下了大象排泄的味道。“我……啊，我忘了说，喝水时捏着鼻子会更好。”

萨穆拉看起来仿佛要晕过去了。

“说真的……”贝克拿起一个粪球递给萨穆拉，是时候停止开玩笑了，他们非常需要补充水分，“如果我们不补充水分，我们会死去。这就是水分。”

从萨穆拉的眼神中，贝克可以看出萨穆拉已经快被他说服了，但她还在犹豫。从自己过去的经历中，贝克知道一个人需要打破许多思想上的障碍后，才能把新鲜的大象粪球中的水分挤入自己的口中。因此，贝克没有强迫萨穆拉。他只是耐心等待萨穆拉思考，直到她意识到自己最后还是只能喝粪球中的水。

如果萨穆拉想活下去，那么她别无选择。

萨穆拉抬起头，用力捏了捏手中的粪球，她用另一只手捏住了自己的鼻子。然后，萨穆拉把粪球里的液体喝了进去。

贝克和萨穆拉看了看地上剩下的粪球，又相互看了一眼。

“把这些粪球浪费掉太可惜了。”萨穆拉说。

贝克点了点头，他笑了。“这才像话！让水分留在身体里是最佳的选择。”

他们分别拿起了粪球，喝下了每一滴恶心，但能够帮助他们活下去的液体。

“事情还可能会更糟。”在喝完最后一滴水后，萨穆拉说，她把粪球扔到一旁，用袖子擦了擦嘴，“没准我们还得吃些虫子。”

“对，吃虫子也很恶心。”贝克笑着说，“但别担心——我们不需要吃虫子。”

贝克看了看前方，前方完全没有人的踪迹。

“我的意思是，”贝克补充说，“至少现在不用。”

第十章

小心野犬

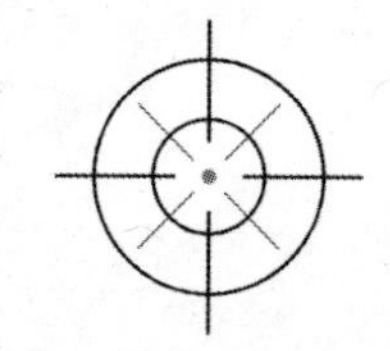

草原传来了低沉的声音。贝克和萨穆拉相互看了一眼。

“是狮子吗？”萨穆拉笑着问，她知道这个声音是什么。

“是我肚子发出的声音吧？”贝克回答。

他们的肚子不断传出明确的信号。“水很可口，但我们还需要食物。”

大象粪球里的水分让他们有了继续前进的动力。贝克觉得自己仿佛更有力量，感觉更敏锐了。在不断向边境前进的过程中，他们也觉得自己的步伐变得更有活力了。

但他们不能一直饿肚子，特别是不断听到肚子大声咕咕响的时候。

贝克快速的步伐也让饥饿变得更加明显。对于贝克和萨穆拉来说，如此快速的前进是不寻常的。

在过去，贝克曾因为情况紧迫而加快脚步。在阿拉斯

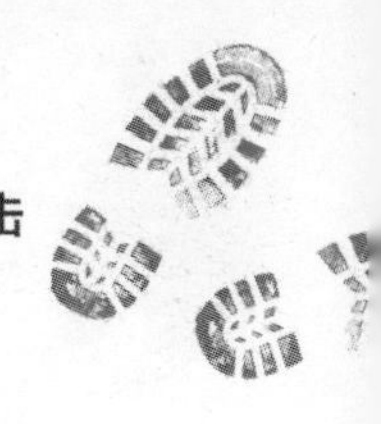

加时，贝克和缇堪尼必须快速穿越山脉，因为他们必须尽快为受了重伤的阿尔伯伯寻求帮助。但贝克在和彼得一起穿越撒哈拉沙漠时，以及和布兰虹妮一起穿越金伯利时，能够活着到达目的地更为重要。当时，贝克知道他们无法节约时间。加快脚步只能让他们浪费更多的能量，并且消耗掉更多的水。

但这一次，除了环境之外，他们还需要应付詹姆斯和偷猎者。因此，他们必须加快脚步，而这让他们越来越饿。

贝克决定以这个速度再坚持一小时。之后，他将开始认真找食物。也许他只能找到树皮中的虫子，但他至少能够找到些食物。

“嘿，别这样。”萨穆拉突然说，“我们不会这么快死去，对吧？”

贝克惊奇地看了看萨穆拉。萨穆拉笑了，然后朝上方点了点头。贝克看到了空中的秃鹫，但他很快意识到，秃鹫是在他们右侧的某个地方徘徊。之后，秃鹫消失在了高高的草丛中。

贝克瞬间决定改变方向。“那里应该有什么死去的动物。”

萨穆拉提醒贝克：“那可能是已经死了很多天的动物。那上面可能已经都是苍蝇了。”

“要是那样的话，我们走掉就好了。”吃陈旧腐烂的肉

无异于自杀，“但如果那是具新鲜的尸体——那么我们也可以分到一杯羹。”

“嗯，但我们要小心鬣狗——它们也是食腐动物，而且攻击性极强。”

贝克点了点头。鬣狗的大小和大型犬差不多，但它们强壮到一口就可以咬碎骨头。人类可不该和它们作对。如果尸体已经被鬣狗占据，那么贝克和萨穆拉只能放弃分享食物的念头。

但在贝克和萨穆拉来到秃鹫降落的地点后，他们没有发现鬣狗。他们只看到无数的秃鹫奔向一匹死了的斑马。斑马的后腿上留着深深的咬痕，那应该是杀死斑马的动物留下的。斑马的四条腿还在，但它的喉咙已经被撕裂，胸前的皮肤也被撕了下来，露出了骨头。

秃鹫探出长长的脖子，努力吃着斑马身上的肉。贝克知道它们脖子上的毛又短又硬，这些毛使得秃鹫不会被血溅到。斑马的肠子已经被秃鹫扯了出来。沾满血的肠子看上去闪闪发光，贝克觉得可以向肠子里吹气，让斑马的身体鼓起来。通过斑马的伤口，可以看到它身体里的其他器官，仿佛一堆气球。

秃鹫不高兴地拍打着翅膀。它们仿佛在跳舞，不断笨拙地扑打着翅膀跳来跳去。如果有更大的动物走过来，秃鹫绝不会对食物恋恋不舍。它们会跑到别的地方耐心等待，然后去吃最后剩下的肉。

贝克看了看美丽的斑马。贝克很高兴自己没有看到斑马被追逐、被扑倒，然后充满痛苦和恐惧死去的过程。但现在不是伤感的时候，这不过是野外生存的规则。动物不会静静地躺在床上，在亲友的陪伴下死去。

而且，贝克知道自己和萨穆拉必须吃东西——不然他们也会成为食物。

“我们不知道斑马已经死了多久。”萨穆拉实事求是地说。

贝克知道一个在克鲁格国家公园长大的女孩肯定不会对食物挑剔。“是的。”贝克蹲在斑马旁，开始仔细检查它的尸体。动物的气味被浓重的血味所盖过。“闻起来似乎还没有腐烂——如果腐烂了，秃鹫是不会吃它的。”贝克挥了挥手，企图赶走附近的苍蝇，“如果斑马死亡的时间超过了几小时，它上面应该有更多虫子……”贝克顿了顿，然后补充说，“吃它应该没有问题。”

贝克发现萨穆拉正在摸斑马身上的咬痕。“你觉得是什么动物咬死了这匹斑马？”

“从咬痕上来看，我觉得是野犬。如果野犬还在这附近……”

萨穆拉停了下来，贝克快速地回忆自己所了解的关于非洲野犬的全部知识。野犬更像是狼而不是狗。它们的体形和狼相仿，而且会集体行动。一般来说，它们只要决定攻击就不会失手。

“人们总认为狮子是万兽之王，”萨穆拉说，“但实际上，狮子捕猎的成功率只有 30%。”

“野犬呢？”

“80%。”

“好吧，那让我们快点吃吧。”

快一点吃，说起来容易做起来难。

“我们不可能直接把肉从斑马的身上撕下来。”萨穆拉指出，“用牙齿恐怕也不行。”

贝克想象了一下他们像秃鹫一样，把头伸进斑马身体中，然后狼吞虎咽的样子。

“我们有一把自制的刀。”

“真的吗？”

“算是吧。”

贝克把椅子腿摘了下来。他觉得这是根不错的棒子，但它并不锋利。贝克可以把椅子腿折断，那样的话，折断处可能会比较锋利。但那还达不到贝克想要的锋利程度，而且还会因此折损一根棒子。

就在此时，贝克看到了斑马布满血迹的肋骨。就是它了。

“我们必须换一种方法来思考这个问题。”贝克说，“你帮我找一块石头吧，你能举起来的最重的石头。另

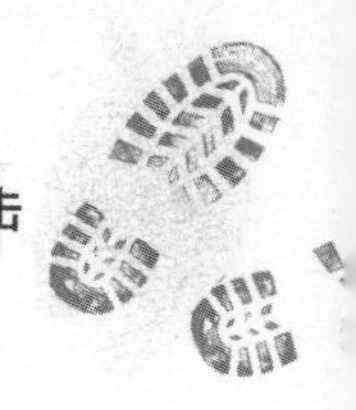

外，小心野犬。”

在萨穆拉走开后，贝克站了起来。他把双脚分开，用双手抓紧椅子腿，然后把它插在了斑马两根肋骨与脊骨相交的缝隙里。贝克用力撬了一下。

贝克感到肋骨动了一下。之后，他听到了一声巨响。一根肋骨被撬动了。肋骨还是连在斑马的胸骨上，但贝克现在可以用双手抓住肋骨，慢慢把它拧下来。

过了一会儿后，整根肋骨被拔了下来。有弧度的肋骨很细，长度和贝克的胳膊差不多。

“这可以吗？”萨穆拉问。她找到一块和足球大小差不多的石头，并把它从地里挖起来，上面还沾着一些泥土。

“很好，等一下……”

“快，帮我一下。”萨穆拉说。她有些搬不动石头了。

贝克把肋骨的两端分别插在了地面上，这让肋骨略微拱了起来。

“我来了……”

贝克笨拙地接过石头。他站在肋骨前，在瞄准后让石头掉了下去。

石头在击中肋骨后滚到了一旁。肋骨倒在一旁，但依然完好无损。贝克和萨穆拉注视着肋骨。

“好吧，这次是试验……”

“骨头很结实，贝克。”萨穆拉指出，“不然的话，斑马每次摔倒都会骨折。”

“所以我们应该加大力量。能不能帮我扶住肋骨？”

萨穆拉把肋骨插在了地里，扶住了它。这一次，贝克不再依赖重力了。他举起石头，使劲砸了下去。

肋骨被砸成了三段。

“太好了！”

贝克拿起肋骨中间的一段。这一段大约有10厘米长，刚被砸碎的两侧都很锋利。“这次的结果比上次好多了！”

贝克摸了摸折断的肋骨的两侧。两侧都很尖。

“很尖吧？”萨穆拉说。

“很尖，但不够锋利。我还需要磨磨它。”

至少现在贝克已经有了原材料。他把肋骨的一端放在了石头上，开始来回磨。萨穆拉在一旁静静地看着。慢慢地，肋骨锋利了。每过一分钟，贝克都会停下来，用大拇指摸摸肋骨的侧面，看看肋骨是否已经足够锋利。

“你看看周围是否有短木棍，像一根签字笔大小的？”贝克对萨穆拉说。

“原来我是木棍和岩石的发现者啊。”

终于，贝克觉得肋骨已经足够锋利了。如果他接着磨下去，肋骨恐怕就要断了。但现在的问题是，整根肋骨都已经成为刀锋了，贝克如果握着肋骨，肯定会把手割破。

萨穆拉很快找到了一根约有两根手指粗的木棍，并把

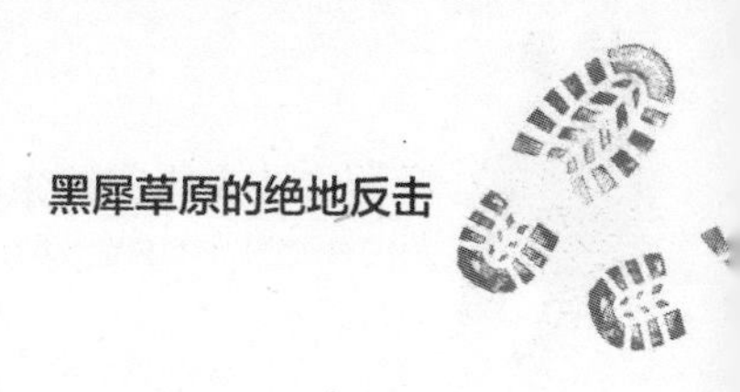

它递给了贝克。

“太好了！谢谢。”

在被偷猎者囚禁期间，贝克解下绳子并把它围在了腰间。现在，贝克把一条绳子解了下来，然后用肋骨把绳子切下来一段。

贝克又用肋骨把木棍切成两段，然后把肋骨放在了两段木棍间。贝克用绳子把木棍和肋骨捆了起来。现在，肋骨只有一半露在了外面。

好了，这把刀已经有了刀锋和刀把儿，贝克可以开始工作了。

贝克选择了斑马后腿远离伤口的一点。这里有很多肉，而且没有骨头。

刀锋很快进入了斑马的皮肤。贝克开始来回移动刀子。每移动刀锋一次，皮肤就会脱落一点。在切下一块皮肤后，贝克把刀撤了下来。皮肤下是闪闪发光的鲜肉。贝克小心地割下一块块肉，每块肉都是拳头大小。

贝克把第一块肉递给了萨穆拉。萨穆拉把肉举了起来，小心地查看着它。

“我希望肉有七成熟。”萨穆拉开着玩笑，“你做成这样，我可不会留小费。”

“没时间生火了。”贝克抱歉地说，“即使能生火，我

们也不能生火。我们离敌人太近了。”

萨穆拉点点头，贝克说得对。偷猎者很有可能会看到火光。

“只能如此了。”贝克举起了属于自己的一块肉，“吃吧。”

贝克用力咬了一口，斑马的血从肉中流入了口中。血喝起来有一股铁的味道。斑马肉和生牛肉一样很有嚼头，但味道要重很多。贝克必须用力咀嚼，但咀嚼后把肉吞下去并不困难。

他们每个人吃了两块肉。贝克一边咀嚼着满嘴的血肉，一边说：“在找到水之前，我们不能吃更多了。吃太多蛋白质会让我们缺水。我们现在已经有了能量，可以继续前进并沿路找水。我们可以随身带一些肉。”

贝克一边说，一边把肉切下来放在口袋中，为接下来的路途做准备。

说到水让贝克有了一个主意。

但这可能会有些恶心。

贝克把袖子卷了起来。他蹲在斑马身边，把手伸进了斑马的内脏，从中寻找到斑马的胃，这仿佛从一堆光滑的气球中找到其中一个。很快，贝克的胳膊上已经沾满了血。斑马的内脏里不断传来奇怪的声音。

斑马的胃很好找，因为它连着喉咙。贝克把胃从斑马的身体里拉出来时，它左右摇摆个不停，仿佛充满了水的

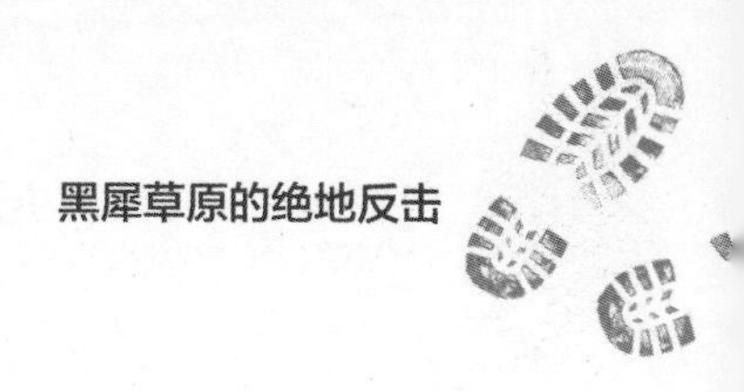

气球。贝克高兴地把胃举了起来。

“萨穆拉，给我刀子。”

胃的一端连在喉咙上，另一端连在肠子上。贝克把两端都用刀子割开。斑马最后一餐残留的食物从两端流了出来。贝克按了按胃，把里面的食物也挤了出来。

“我们要胃做什么？”萨穆拉处理过许多被其他动物咬死的尸体，她很熟悉这个过程。虽然没有恶心得脸色发绿，但萨穆拉很想知道贝克想做什么。

“在我们找到水后你就知道了……”

突然，顺着风传来了狗吠的声音。杀死斑马的野犬还在附近。

贝克和萨穆拉停了下来。接着，贝克迅速把椅子腿从胃的两端穿过去，然后把椅子腿扛在肩膀上。这是携带滑溜物品最便捷的方法，而且也不占用双手。贝克把刀子插在了腰间。

“该走了。”贝克严肃地说。

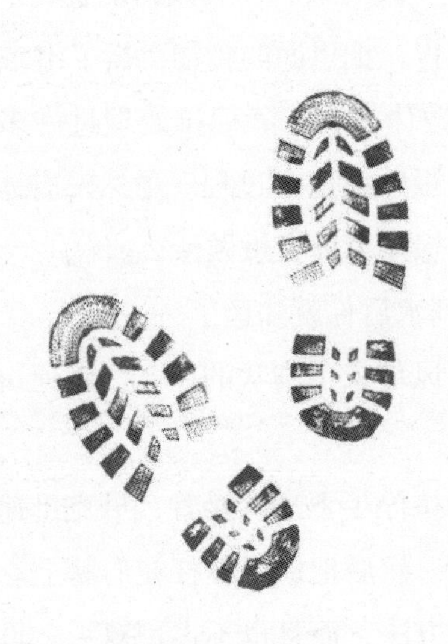

第十一章

临时水壶

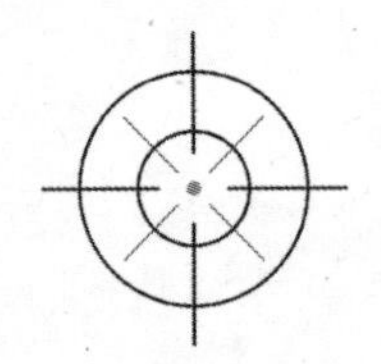

前方的草原出现了一条30米宽的河流。在河的另一端，有一些羚羊正在低头喝水。对岸有各种动物的足迹，但除了羚羊之外看不到任何其他动物。

“这是我这辈子见过的最美丽的景色！”萨穆拉激动地说。

“是啊。”贝克同意她的说法，“有时候河水是大象的粪便所无法比拟的。”

他们带着斑马肉，又走了两个小时。野犬没有出现。贝克觉得，即使野犬感到饥饿，它们也更愿意吃一只死斑马而不是两个活着的人。

贝克知道他们更需要的是水。他们每流一滴汗，就会损失一点点宝贵的水分。

贝克和萨穆拉走到了一个小山坡上。他们一起看着远

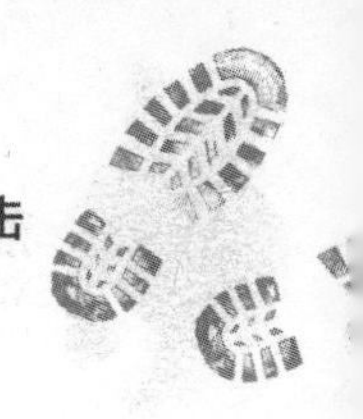

方的河流两岸，那里离他们还有一小时的距离。

从山坡到河岸一直是缓慢的下坡。过了河，前方又是缓慢的上坡。河岸上长满了芦苇和灌木。

来到河边后，萨穆拉一下冲了过去，贝克甚至都来不及阻止她。萨穆拉蹲在地上，用手捧起了水。

“嘿！”贝克来到萨穆拉身边喊道，他的脑海中闪过了可能躲在非洲河流中的危险动物，“有鳄鱼吗？有河马吗？”

萨穆拉站了起来，擦干了嘴边的水。“这里水太浅，河马无法躲在这里。你可以看得出，这条河并不深。河的两岸没有鳄鱼。鳄鱼只有在确定能够找到食物时才会躲在水底。看到羚羊后，它们更有可能在对岸出现。”萨穆拉指着那边，“如果羚羊在接下来的五分钟内不被鳄鱼攻击，那么这里就没有鳄鱼。”

“有道理……”贝克觉得自己很难和如此丰富的经验争辩，“现在来到河边了，我们更要小心。”

贝克依然在看着河流，他可不愿眼睁睁地看着木头变成浑身披着盔甲、牙齿爪子犀利异常的鳄鱼。

贝克摘下了斑马的胃，然后蹲在河边也喝了一点水。水凉爽宜人，仿佛为贝克疲惫的肌肉带来了活力。在不知不觉中，贝克的头脑已经十分疲惫了，但水仿佛让贝克获得了新生。在贝克站起来时，他感到自己身板挺得更直

了，头脑也更清醒了。

贝克又小心地看了看四周。他们必须过河。贝克可以看出河很宽，但他看不出河水有多深，也看不出水速……

贝克折下一根树枝，走到了河边最高的一个小土墩上。他把树枝扔到了水中。从高点上往下看，可以看到入水的树枝迅速打转，然后被水飞快地带走了。如果贝克想在岸边追上树枝，虽然不需要跑起来，但也需要快步行走。

“我们可以过河。”萨穆拉说，但听起来没有之前那么自信了，或许她正在想象他们被河水冲走的景象。

“我们可以试试，但如果走到太深的地方，我们可能因为站不住脚而被冲走。”贝克决定了，“我们应该利用三脚架原理。”

“什么？难道我们要制作一个三脚架吗？”

“不是。”贝克笑着说，“我们就是三脚架。来吧。我们需要两根结实的树枝。它们必须和我们差不多高，而且必须能够承担我们的重量。”

他们开始搜寻河边的树木。在花了一段时间后，他们终于找到了合适的树枝。贝克双手抓紧树枝，将全身重量压上去，树枝纹丝不动。

贝克脱了鞋，手也放在腰带上面。然后，他停了下来。“啊……我们需要，啊……”

“脱下裤子？”萨穆拉用实事求是的口吻说。

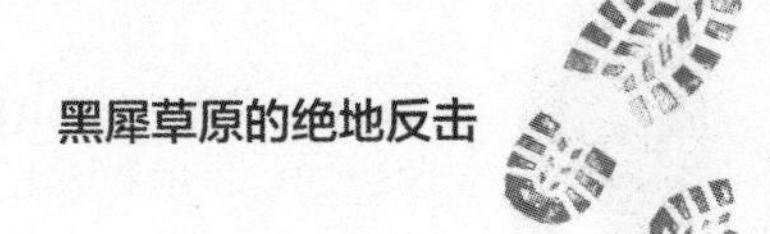

贝克点了点头。“差不多吧。”

萨穆拉转过了身。她脱下了靴子和裤子。“为什么要这样做？”她一边脱着一边问。

“衣物只会让你的身体更沉，而且你上岸后就会意识到干燥衣物的重要性了。别忘了脱下袜子后把靴子穿上。我们不知道河床是什么样子。”

尖锐的物品可能会割破赤裸的脚。光滑的石子不但很滑，而且踩上去很痛。

他们把袜子放到了口袋里，然后把裤子缠在了脖子上。贝克一边缠着裤子，一边解释他们接下来过河的方法。贝克还在用椅子腿带着斑马的胃。贝克用裤子把椅子腿绑在了背上，然后拿起了一根树枝。

“准备好了吗？”

萨穆拉看了贝克一眼，然后开始大笑。

贝克知道自己多半看起来很奇怪——他只穿着内裤，光着两条腿，脚上有靴子但没有袜子。

“准备好了。”萨穆拉一边笑一边说。

他们一起走向了水边。

“啊，水进了我的靴子！”

“对，的确会这样……”

“我知道，我知道。只是这感觉太……滑了。”

水流进干燥的靴子感觉很难受。这也是为什么贝克决定一下水就让靴子泡在水中。光滑凉爽的水浸透了他的皮肤。随着他们越走越深，贝克可以感到水已经淹没了他的腿。

他们面对着上游，侧着身子一点点前进。贝克站在萨穆拉的后面。这样的姿势让他们可以看到任何可能流过来的东西。如果萨穆拉摔倒，贝克也可以拉住她。

如同贝克之前说的那样，他们成为三脚架。他们每个人都有两条腿和一根树枝，这样他们在河床上就有三个支点。他们会先迈一步，确保脚站稳后再移动另一只脚和树枝。他们就这样不断前进着。

“不要迈大步，只要一点点挪动就好了，这样你就不会绊倒自己。”贝克一边全神贯注地移动一边说。

贝克从小就学会了这一法则。他的父亲曾在一条浅河里故意摔倒，来为贝克表演错误的后果。想到父亲，贝克不禁笑了。

过河正在变得越来越困难。

在河边时，水流没有那么急，贝克和萨穆拉可以轻松地从中穿过。但走到河中央时，水流已经变得很急促了。在水到了他们膝盖位置时，他们已经可以很明显地感觉到涡流。

贝克觉得河流仿佛在有意捉弄他们。河流仿佛在静静地等待他们犯错。只要他们一疏忽，河流就会把他们淹

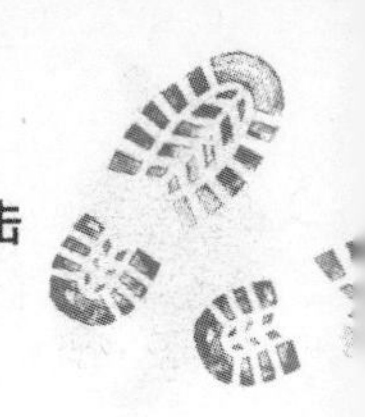

没。河床是柔软的泥土——贝克感觉不到能够让自己站稳的岩石。在这里他们中任何一个人只要稍不留神就会摔倒，然后接着把另一个人拉倒。

河越来越深了。它比贝克想象中要深得多。水已经快要到他们的腰间了。到了这个地步，贝克知道他们别无选择，只能继续前进。他们只能任由水流摆布。

水位慢慢变得更高了。水已经淹没了贝克的内裤，现在又开始淹没他的衬衫。为了和水流抗争，贝克不得不一条腿略微靠后，然后把树枝伸到前方。这让三脚架的角度更大，也让他站得更稳。

“你怎么样？”贝克喊道。萨穆拉比贝克要矮，水应该已经淹到了她更高的部位。

“还……可以。”

贝克没有接着问下去。萨穆拉必须全神贯注向前走，她不能分心谈话。

很快，冰凉的河水完全淹没了贝克的腰间。涡流冲到贝克身上后发出可怕的波浪声，他感到仿佛有一只巨手推着自己，它的力量越来越大，仿佛不想让他前进。

终于，水开始退去了。在一开始，贝克还以为这是自己的错觉，但他很快意识到水位真的在变低，水已经在他腰部以下了。他们已经走过了一半的路程，正在慢慢上岸。

在萨穆拉意识到这一点后，她不禁欢呼了一声。

“不要放松警惕。”贝克喊道，“继续集中精力……”

突然，什么东西卷住了贝克的双腿，把他和萨穆拉都固定在了原地。贝克之前慢慢迈动的腿无法再前进。而贝克的身体也开始前倾。他本以为这条腿能够支撑住身体的重量。现在，他倒向了一侧。水不断冲击着贝克的身体。贝克企图移动自己的双腿，但水已经完全将腿缠住无法动弹。

贝克大喊一声。他感到自己正在被水流推倒。他挥舞着双手才勉强找到了平衡。但这让贝克举起了手中的树枝，也让贝克比之前站得更不牢固。

就在贝克即将摔倒之际，他又用手中的树枝找回了平衡。水还在冲击着贝克，但他基本上已经站稳了。贝克感到缠在他腿上的东西仿佛想要从他腿上松开。贝克试图移动双腿，但他很快意识到这样做只会让问题变得更糟。贝克强迫自己一动不动。他低下头看着水面。一条又长又细的东西缠住了他的脚踝。

这应该是某种鱼而不是杂草。贝克的心快速地跳着。他希望这不是一条水蛇，水蛇一旦懊恼起来，一定会开口咬他。在贝克站直不动后，缠着他的东西敏捷地摇摆着身体，从贝克脚踝上退了下来。然后，它顺着河床里的石头游走了。

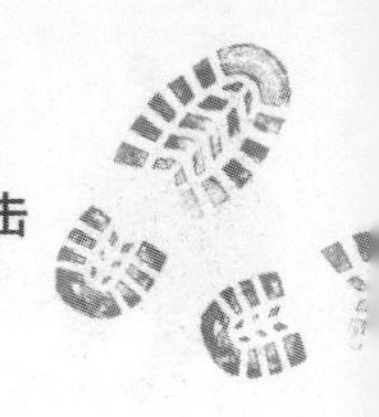

“是杂色鳗。”萨穆拉笑了，“多半是一条成年的杂色鳗——最长的杂色鳗有近 2 米长。它们可爱吃小男孩了。所以它们会绊住小男孩，让他们跌进河里……”看到贝克眼睛越睁越大，萨穆拉强忍住笑容继续说，“然后人们就再也找不到他们了。”

“真的吗？”

“真的……好吧，不是真的……”

“你是说它们完全没有攻击性？”

“对，至少对人类来说是这样的。”

“好可惜啊。”贝克嘟囔着，“我们本来可以吃了它的。”

他们继续一步步前进，终于走上了岸。

萨穆拉在草地上坐了下来。

“过河，”萨穆拉说，“比我想象中难多了。而且，还出现了杂色鳗。”

贝克笑了。他没有坐下。贝克慢慢地走来走去，希望阳光和风能够迅速让双腿变干燥。几只成年羚羊带着几只小羚羊在河的下游走来走去。在其他羚羊喝水的时候，一只成年羚羊监视着它们——但它们没有被贝克和萨穆拉吓到。

“野犬现在应该跟不过来了。”贝克说，“我们应该已经摆脱它们了。”贝克好奇地看着羚羊，“至少它们看起来

很平静。”

“水对它们太重要了。为了在河流附近多待一会儿，它们会等到敌人靠得非常近之后再逃跑。但如果敌人是你的话，它们多半会直接攻击你。它们的角可锋利了。”

贝克小心翼翼地退后了几步。

“而且，贝克，河的这一边也有野犬，而且你还带着可能会吸引它们的斑马肉。”

“哈！我刚才没跟你说过我们找到水后该怎么做吗？”

萨穆拉看着贝克解下了斑马的胃走到河边。贝克把胃放到了河中，水从胃的两侧流了进去。在贝克把胃从河里拿出来时，胃又和之前一样来回晃动着。水冲走了胃中残余的斑马的食物。贝克一次次重复着这一动作，直到斑马的胃被完全洗净。

贝克用自己带着的绳子把胃的一端用固定结系住，之后，从另一端又把胃灌满了水。贝克打的固定结很紧，没有一点水从那一端流出来。

“是水壶！”萨穆拉说。

“临时水壶，但已经足够我们用了。胃有一个优点，它和最优质的水壶一样是防水的。而且，它还可以用来当枕头！你能拿一下吗？”

萨穆拉接过了胃。贝克把胃的另一端也打了个结。接着，他又用一条较长的绳索把胃的两端系了起来，然后把

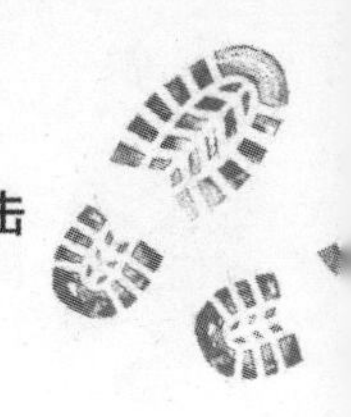

胃背了起来。

“偷猎者怎么办？”萨穆拉在贝克忙碌时问，“还有你来自路莫斯的朋友呢？他们可比野犬更难缠。”

“我毁掉了他们的跟踪器，记得吗？我希望这意味着他们再也找不到我们了。关于偷猎者嘛……”

贝克眯着眼看了看后方。他没有看到车辆扬起的沙尘，但这不意味着什么。偷猎者应该比他们更熟悉这片土地。他们可能早就以更加轻松的方式过了河。贝克和萨穆拉必须不断前进，所以他们才会在这里过河。他们没有时间朝河流的两侧走走，寻找更便于过河的地方。

但即使假设偷猎者赢了枪战，他们真的会过来追他们吗？

“他们不知道我们记住了他们据点的位置，也不知道我们善于野外生存。”贝克说，“希望他们觉得我们是两个会在荒野中迷路死去的小孩子。”

萨穆拉竖起手指，打了个手势。“希望如此。”

“对，希望如此……”

有时候你唯一能够做的就是往好处想。贝克从自己大量的经验中学到了这一点。但如果有别的办法的话，那么最好还是采取一些实际的解决办法。如果偷猎者逮住贝克和萨穆拉，他们会很乐意把两个孩子变成秃鹫的食物。

而这意味着他们必须继续前进。

贝克拍了拍因为装满水而鼓起和晃荡的斑马胃。“我们每小时可以喝一点水，然后再次找到水时再把它灌满。现在——”贝克朝河挥了挥手，“尽可能多喝点水吧，我们再吃点斑马肉，然后我们就该上路了。”

看到萨穆拉露出一丝苦笑，贝克停了下来，说：“嘿，萨穆拉，高兴点……探险才刚刚开始！”

第十二章
在蛇洞里烤斑马肉

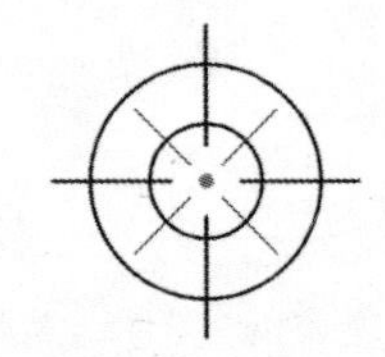

穿干燥的衣服让人不禁精神振奋了起来。他们的靴子还是湿的，但走起来后，靴子就会慢慢变干。每次他们休息时，都会把靴子脱下来透透风。不然的话，他们可能会因为霉菌感染而变得一瘸一拐——虽然贝克希望在那之前他们已经获得帮助了。

他们整个下午都在不断前进，只是偶尔停下来喝口水。每走约 5 公里，贝克都会利用太阳判断方向。这并不容易，因为他们并非一直直线前进。有时地势会发生改变，比如前面有一个大坑或一个非常陡峭的大坡。遇到这种情况，他们必须绕道而行。萨穆拉有时也会利用自己的技能：她带着贝克一起绕了一个大圈，躲过了远处的一群鬣狗。

“鬣狗在白天和黑夜中都视觉敏锐，但它们的嗅觉并

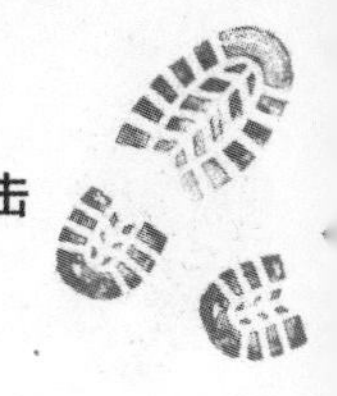

不那么灵敏。即使如此，如果太接近鬣狗，它们也肯定会闻到斑马肉——我们还是别让它们对我们产生兴趣为好。”萨穆拉说。

绕开鬣狗让他们又多走了 1 公里的路程，但贝克觉得付出这样的代价来避免被鬣狗吃掉还是合理的。

他们看到和躲开的不只是鬣狗。萨穆拉躲开了狮子可能出没的地方。它们在白天多半会休息，这意味着它们会趴在地上，几乎完全隐藏起来——直到两个人走到它们中间。那时，狮子会突然发现自己原来还很饿。

即使植食性动物也可能会带来危险。水牛看起来总是在缓慢平静地移动，但如果它们觉得自己受到了威胁，就可以用头上的角把敌人劈成两半。而且，水牛的移动速度也比人类快很多。贝克和萨穆拉还绕开了大象，他们可不想这些庞然大物因为感到威胁而奔跑起来。

贝克知道，在野外你不能犯任何错误。他的父亲曾告诉他，掉以轻心会让他受到生命威胁。在野外，人必须永远保持警觉。

于是，贝克和萨穆拉在克鲁格国家公园中曲折地前进着。太阳先是在他们身边，然后升到了他们的头顶，最后移到了西边。天空逐渐变成了红色和橘色。贝克觉得他们应该还有一小时的阳光可以利用。之后，非洲的夜晚会突然来临。

“我们马上就要停下来了。”

萨穆拉一下子就放松了。“不用再走路了？太好了！我们可以生火了！我们可以烤斑马肉了！”

“那个……”贝克用质疑的目光看了看后方，“我不确定是否应该生火。数公里外的人都可能看到这里的烟雾。”

萨穆拉的脸上露出了不高兴的表情。“真的不行吗？”

“那个……我也许可以生火。”

半公里外有一片缓慢上升的斜坡。斜坡上有一片足球场大小的茂密的树林。贝克朝树林指了指。

“有可能威胁到我们的危险吗？狮子？猎豹？”

萨穆拉仔细打量了一下树林。“应该没有。狮子和猎豹喜欢开阔的土地。当然，我们在走过去前无法确定。”

贝克咬了咬嘴唇，然后做出了决定。“我们要在那里过夜。我去看看能不能生火。”

他们走到了树林前。

贝克很快找到了他们需要的东西。

“这个地方有什么特别之处吗？”萨穆拉问。

贝克和萨穆拉站在树林前的一小片空地前。在他们面前是一棵倒在地面上的树。树干上有很多洞——白蚁在缓慢地吃掉木材。

“看来地上没有动物的足迹。”贝克说。他为此而感到高兴。这意味着这里并不是动物寻找水源、住所和食物的

必经之路。贝克知道他们必须避开犀牛、猎豹等动物经常活动的地方——不然后果不堪设想。

“你可以看到，地上有我们可以利用的树枝，用来搭建帐篷。”

萨穆拉对地上的树枝皱了皱眉。“我们真的需要搭建帐篷吗？夜里很暖和——天气应该挺好的。”

“我们不需要精美的帐篷——只要能够保护我们就可以了……有了帐篷，动物也不会轻易接近我们。”贝克补充说，“在帐篷里总比在外面好。我们会更温暖、更安全，心情也会好些。”

萨穆拉点了点头，贝克说得对。不管帐篷多么简陋，在帐篷里的感觉都比在野外的感觉要好很多。

“好吧，我们可以在这些树枝下休息……”

“我觉得我们能找到更好的地方……”

如果贝克做足了在非洲探险的准备，他一定会带一把砍刀——这样他就可以砍断树枝，搭建一个有屋顶、有墙壁、有能够隔离地面的地板的帐篷。

但从现在他们身边的资源判断，贝克知道今晚的住宿环境一定会极度恶劣。

贝克缓慢走上了坡，低头躲过了树枝。在树倒下来时，一些树枝被折断了。还留在树干上的树枝有些和贝克的手腕一样粗，有一些则是他双手都围不住的。贝克抓紧

了一根细细的树枝，然后拉了一下。

“我们……可以……”贝克又用力拉了一下树枝，“把树枝……拉下来……作为屋顶。”

贝克拉住的树枝本来有些朝上倾斜。等贝克把体重压上去后，树枝和树干形成了90度的角，并慢慢向地面靠近着。但贝克一松手，树枝就弹了回去。贝克转过头去，看见萨穆拉咬住了嘴唇，努力不笑出来。

贝克摘下身上的绳子，在树枝上打了个结，然后把绳子另一端递给了萨穆拉。贝克再次用力把树枝拉了下来。“好了，拉住……”

萨穆拉站稳脚，用力拉住了绳子。贝克接过绳子，把它系在树干上另一根较细的树枝上。现在，树枝变成了贝克想要的那样。它的一端连接树干，另一端则几乎触及了地面。

“现在，我们可以收集一些小树枝，然后把它们堆在两侧。你可以用任何东西来挡住缝隙……这样我们的帐篷就搭好了。你能负责完成这个工作吗？等你把树枝收集好后，我们可以用绳子来固定它们。”

“啊，好的。”萨穆拉仔细地看了看周边的树枝，“你要去干什么？”

“实现我的承诺。”贝克笑着说。他看了看四周，然后拿起了他想要找到的东西——一根不会轻易折断的短粗树

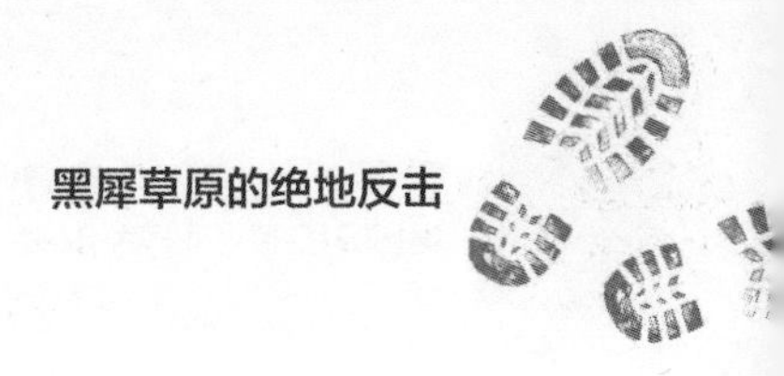

枝。“你想要我生火——现在我要生火了。”

在安排萨穆拉收集树枝后，贝克又下了坡，来到倒下的树干前面。他仔细看了看地面，想象该如何实现自己的计划。贝克在坡一半高的地方看到了自己想要找的地方。

地面上有一个像是动物挖出的洞。贝克本来也需要挖个洞，但看到有动物代劳后，他觉得自己没有必要再浪费体力了。

贝克先把椅子腿伸到了洞中，以确保里面没有动物。在椅子腿的另一端，贝克没有感到有动物的存在，那边应该只是坚固的泥土……洞是空的，这是好消息。

贝克把用肋骨制作的刀从腰间摘了下来，看了看刀尖。刀很锋利，但也很脆弱——它是无法完成贝克想要做的工作的，它肯定会折断。贝克把刀放在一旁，再次拿起了椅子腿。贝克希望自己有铲子或更为理想的砍刀，但现在他只能双手握紧椅子腿，然后把椅子腿较为锋利的一端插入洞旁的土中。贝克转动椅子腿，挖出了一大块土。他一次次地重复着这一动作。

贝克在这项工作上花费了很长时间，而且他挖得越深，底下的土越坚固。但贝克只是慢慢地重复着自己的动作。他知道自己要用尽全力才能把椅子腿插入土中，但他不愿意用力过猛而让自己流汗，这会让他迅速消耗身体的

水分。

慢慢地，洞变大了。很快，洞已经大到足以让贝克把自己的头伸进去了。现在，贝克可以用椅子腿慢慢把洞里面的土挖出来，然后，再用双手把土捧出来。在完成了这一面后，贝克还需要用椅子腿挖另一面的土。

萨穆拉已经完成了自己的工作，她来到了贝克身边。“我能做点什么吗？”她问。

洞不够大，无法让两个人同时工作。

“你能收集些柴火吗？”贝克问，“大量的小树枝，外加几根大树枝——”贝克用拇指和食指比画了一个圆形，“大概这么粗。”洞里放不下比这更大的树枝了。

“好的。”萨穆拉回到树干附近去收集树枝，贝克则继续自己的工作。

在贝克完成工作时，洞已经有他的胳膊那么深了。贝克没有必要把洞挖得更深——不然的话他会摸不到底。洞挖好后，贝克还有最后一件事要做。

洞离坡顶大约有 20 厘米的距离。贝克不愿意洞离坡顶更远，因为有可能导致附近的土坍塌。如果离坡顶更远，贝克的计划则无法实现。

贝克爬上了坡，让自己的双脚处在洞的两侧，这样他的重量就不会让洞坍塌。贝克又拿起了椅子腿，然后把较尖的一端插在了泥土中。贝克转动着椅子腿，让它插入

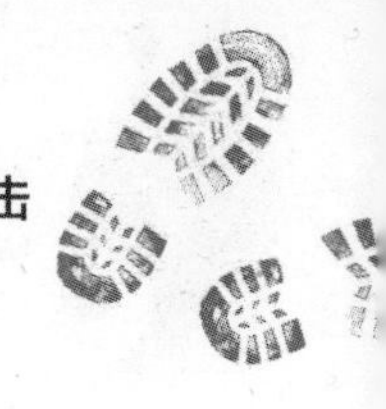

土中。在几分钟后，贝克终于慢慢地把椅子腿插入了土中……突然，前方的阻力消失了。贝克已经把椅子腿插入了洞中。

萨穆拉已经收集了一些树枝和树叶。贝克仔细地选出了让他满意的树枝和树叶。贝克首先把树叶堆在了洞里，在垂直的那个洞的下方。之后，贝克把细树枝放在了树叶上。慢慢地，贝克堆积的树枝越来越多，直到最后有了足球般大小。

生火的原理是树叶点燃后，会立刻将细树枝点燃，接着细树枝再将较大的树枝点燃。

“烤斑马肉快好了吗？”萨穆拉高兴地问。

“快了……快了。”

“太好了……”萨穆拉抬起头，“我不想打断你的工作，但为了生一点火，做这么多工作有点太小题大做了。”

“这是蛇洞生火法。”贝克说，他指了指垂直的那个洞，“这是为了通风。在生火后，火只能从两侧的主入口获得氧气，这会减少烟的产生，只会有很少的烟冒出来，几乎不会被人发现。火也是在洞里燃烧。所以，就像一个烤箱一样，所有的热量都聚集在这个狭小的空间中，这会让做饭更快一些。你可以把整块斑马肉烤得美味柔软，而不是像一般野外生火一样，外面都烤焦了，中间部分还是生的。当然，前提是我们要生起火……”

贝克退了一步，若有所思地看着洞。

萨穆拉有些不解。“有问题吗？”

“我们必须用什么东西来点火，对吧？”贝克想到了陪伴着自己经历过无数探险的打火石。打火石可以在任何地方生火……但现在它却躺在海底。

“好吧。”贝克做出了决定，“我们需要钻木取火。”

“钻木取火？”不知为什么，萨穆拉觉得这很好笑，“你要利用摩擦来生火吗？”

“对。我们可以用绳子捆住木棍，然后来回转动它。但我们需要先有绳子……”贝克停了下来，开始回想上次用这种办法生火是什么时候。哦，对——当时他和彼得一起在撒哈拉沙漠中。那一次，他们使用的是降落伞上的绳索。

“但我们在搭建帐篷时已经把绳子用完了。”萨穆拉指出，她还在微笑，仿佛听到了一个玩笑，“或许我们可以用鞋带……”

贝克皱了皱眉。萨穆拉看上去仿佛要笑得趴下去了。

“好吧，我要先去找木棍……”贝克继续说。

“你的计划很好。”萨穆拉说。她把手伸到了口袋中，她拿出的东西让贝克吃了一惊。那个塑料物品是个小方形的。“但你也可以直接用我的打火机。”

贝克凝视着打火机。

他慢慢伸出了手，接过了打火机。他按了一下打火

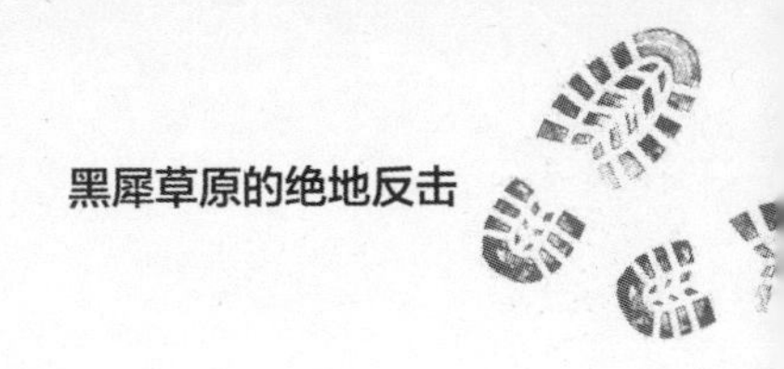

机，火光在打火机的一端出现了。

“别告诉我你还吸烟！”

“我不吸烟，但公园办公室的电力很不稳定。你不知道何时需要把蜡烛点燃。好了，该烤斑马肉了吧？”

“烤斑马肉！”贝克附和着，“你知道——”他顿了一下，“带你在身边真好，萨穆拉！”

第十三章 变脸

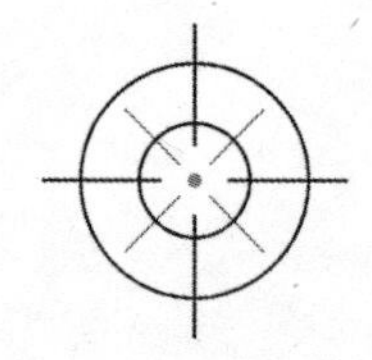

贝克突然醒了过来——他几乎是瞬间从沉睡状态变成了完全警觉的状态。

在吃饱斑马肉后，贝克和萨穆拉以相反的方向躺了下来。一天的辛苦行走让他们很快就睡着了。

他们在帐篷里放了一些树叶和小树枝，这样他们就不用躺在冰冷的地面上了。在贝克半坐起来并转过身时，他还能听到树叶摩擦发出的声音。

有什么很大的动物正在树林间移动。它没有想要掩盖自己发出的声音。它踩在树叶上，踩断了树枝……还有些树枝被它撞到了地上。肯定是某种动物。贝克躺在帐篷里，静静地听着。如果动物再靠近他们，他必须立刻让萨穆拉醒过来并逃走。

过了一会儿后，贝克觉得动物已经离开了。树林间的

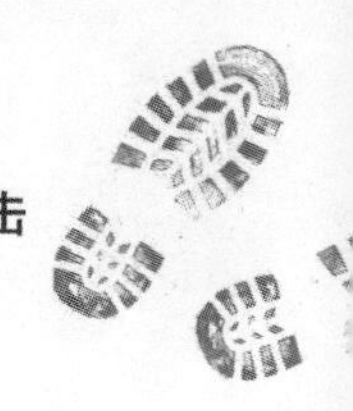

声音消失了。

贝克轻轻地呼了口气，他很高兴。贝克准备再次躺下，继续睡觉，虽然他的心脏还因为肾上腺素的分泌而在激烈跳动着。突然，他停了下来。

外面是不是还有别的动物？

贝克仔细聆听着。他眯起了眼睛，透过帐篷树叶间的空隙看着外面。已经升起的月亮几乎是圆的，所有的树木都被银光笼罩着。附近只有两种颜色，要么是月光的银灰色，要么是影子般漆黑一片。

贝克没有听到声音，他更多的是感觉到了什么。如果贝克没有被第一只动物所惊醒，他是不可能感觉到第二只动物的动静的。贝克没有听到有动物在移动，但他感到有什么东西在树林间出没。偶尔有树枝折断或有树叶发出声音。这种声音让贝克确信自己的判断是对的。

这只动物和贝克听到的第一只动物不同——这只动物要小得多。第一只动物完全不在意是否有人听见了它的动静。第二只动物……则要隐蔽得多。

不论这是人还是动物，他或它正在慢慢地从贝克的右侧朝左侧移动。贝克无法想象这个声音离自己有多远，但他可以听出声音是在树林间发出的，这意味着声音离自己最远不会超过 10 米。

贝克咬了咬嘴唇。他和萨穆拉藏得很好。屋顶让帐篷

看起来不过是一堆树枝。

他们不该点火的，贝克想。烟火虽小，但也可能暴露他们的位置。

贝克慢慢来到萨穆拉身边，轻轻地摇了摇她。萨穆拉略有吃惊地醒了过来。“怎么了？”

贝克迅速把手指放到了她的嘴唇上。萨穆拉睁大了眼睛看着他，然后默默坐了起来。萨穆拉坐在贝克身边，一起看着帐篷外面。贝克指了指他觉得有动静的地方。萨穆拉点了点头。

突然，树干上出现了一道影子。影子来到了月光下。银灰色的月光衬托出了一个毛发浓密的强壮男子的身影——贝克之前在贫民窟见过他。

银背猩猩又找到了他们。

或许是因为他们中的一人发出了噪声——比如喘息声或大口吸气，或许是因为银背猩猩非常擅长自己的工作，他停了下来，扭头看着帐篷的方向。在月光下，银背猩猩的眼睛看起来只有两个影子，但贝克和萨穆拉可以很清楚地看到他苍白的面孔。

贝克很确信银背猩猩无法透过帐篷看到他们，但他可以清楚地看到银背猩猩脸上露出了邪恶的微笑。贝克觉得自己先听到了银背猩猩说了一声：“找到你们了。”然后，贝克看到银背猩猩朝他们跑了过来。

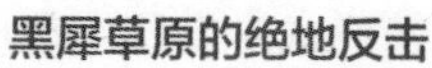

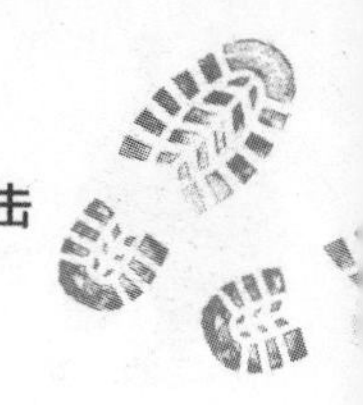

贝克和萨穆拉迅速站了起来，冲破了树叶搭成的屋顶。

“快跑！”

他们在树林间穿梭着。黑暗中的树枝重重地拍打着他们的脸庞。贝克举起了一只手护住了自己的脸，另一只手紧紧抓住萨穆拉的手，他也不知道他们二人究竟谁跑在前面。

银背猩猩现在已经不再掩饰自己的动静。贝克可以听到他在身后奔跑的声音。现在，银背猩猩的动静和第一只动物差不多。

偶尔银背猩猩的喊声会传过来：“嘿！”或者“你们！”或者“等一下！”在他被树枝绊倒或被带刺的树枝扎到后，他还会咒骂。他比贝克和萨穆拉大很多，体重也要重很多，以至于无法在树林间跑得很快。

贝克发现身后的声音小了一点。贝克知道他们正在拉开距离，但这种情况不会持续太久。银背猩猩并不会停下脚步，而树林总有尽头。他们早晚会回到草原上，在那里，躲开银背猩猩就没那么简单了。

贝克知道，他们唯一的希望就是找到一个能够藏身的地方，而且这个地方必须十分隐蔽，让银背猩猩完全找不到他们。

贝克和萨穆拉突然跑到了一片空地上。萨穆拉正准备

一下子跑过去，却被贝克一把拉住。

“别跑，先等一下。”

空地被月光照得很明亮——他们的身影会清晰可见。贝克觉得，银背猩猩应该能够在来到空地的三十秒内就抓住他们。

“爬上去。”

他们跑了几米，来到了空地旁的一棵树旁。最低的树枝离地面约有 2 米的距离。贝克把双手合在一起，为萨穆拉提供支撑。萨穆拉把脚放在了贝克的手中。贝克一托，把萨穆拉托上了树枝。萨穆拉迅速爬了上去。

银背猩猩的声音越来越接近他们了。贝克跳了起来，指尖刚刚钩到了树枝。贝克把自己晃来晃去，直到把双脚晃到了树干上。这让他有了足够的支点爬到树枝上，并来到了萨穆拉身旁。

他们两个一起慢慢顺着树叶浓密的树干爬着……突然，他们看到银背猩猩冲了过来。他们停了下来，一动不动。

看到贝克和萨穆拉都不见了，银背猩猩露出了厌恶的表情。他先是举起了双手，然后让双手落到了身体两侧。银背猩猩叉着腰，仔细看着四周。然后，他开始绕着空地的四周打转。

幸运的是，银背猩猩走向了错误的方向。看到他开始搜索灌木和树木后，贝克有些放心了。但银背猩猩只走了

10米后就停下了脚步。贝克不知道银背猩猩是否听见了自己心脏大声跳动的声音。银背猩猩转过了头，又沿着原路走了回来。

过了片刻后，银背猩猩望向了贝克和萨穆拉所在的方向——他盯着他们藏身的树木。银背猩猩侧过了头，然后向贝克和萨穆拉走了过来。贝克知道，他们又被发现了。

“干得不错，孩子。”银背猩猩满怀自信地走到了贝克和萨穆拉藏身的树木前，“你是和你的女性朋友自己下来，还是我要上去一趟？”

“你上来试试吧。”贝克嘟囔着。贝克看了看四周，希望找到一根他可以折断用来作为武器的树枝。

“我有的是时间，我有食物和水。但你们能在上面待多久？”

贝克看了看萨穆拉，他知道银背猩猩是对的。他们不可能在树上一直待下去。

但贝克也知道，如果他再一次落在路莫斯手中，恐怕就真的没有活路了。萨穆拉恐怕也不会活下来。她知道整件事的来龙去脉，而且路莫斯对人的生命本来就漠不关心。

只要他们留在树上，他们就能多活片刻。这恐怕是他们现在最好的选择了。

当然，如果银背猩猩带了枪，那么他可以一枪一个地很快杀死他们。但看上去他没有携带武器。这让贝克有些

好奇，他觉得银背猩猩也太不细心了。当然，他不会对此产生抱怨，这是贝克现在能够想到的唯一一个好消息了。

如果银背猩猩有枪，枪多半被留在了黑色吉普车中。吉普车应该就停在了这附近。如果银背猩猩想拿到枪，他就必须走回吉普车停车的地方。这样的话，贝克和萨穆拉就有机会逃走，或找到一个更隐蔽的地方藏起来。

“好吧，你让我失去耐心了……”

银背猩猩伸手去够刚才贝克爬上树的树枝。他比贝克更高，只要抬起手就能摸到树枝。贝克等银背猩猩离开地面后，他让身体略微下滑，然后用脚重重踩在了银背猩猩的手指上。

银背猩猩痛叫一声，放松了手指。他后背朝下，摔在了地面上。“至于吗，孩子？”银背猩猩站了起来，“你如果不服从我——”

突然，远处的树林开始震动，然后分开了。银背猩猩转过了头——他正好看到了月光下的一头巨大犀牛。

贝克意识到，这才是他听到的第一个声音。银背猩猩本来走得很轻，但一开始惊醒贝克的犀牛并没有刻意掩饰自己的行踪。犀牛不会隐藏自己，它们不在乎谁听到自己。

银背猩猩惊呼一声。贝克现在更高兴他没有随身带着枪了。

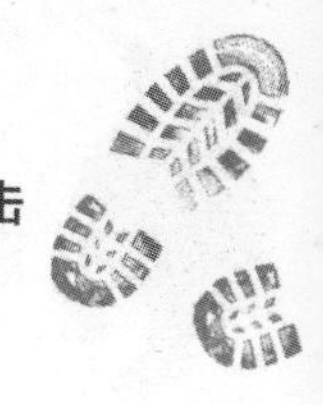

“好的，好的……”银背猩猩轻轻地说，他一直盯着犀牛，犀牛也一直盯着他，“你是野外生存专家，孩子。你知道该如何让它离我远点吗？”

贝克睁大眼睛凝视着月光下的犀牛。萨穆拉抢先回答了银背猩猩的问题。

“没办法，”萨穆拉说，“它们才属于这里。”

“这真是个好建议啊……”

在空地的另一端，犀牛静静地站着。它低下了头，用前脚踩着地面，然后开始大声呼吸。犀牛呼出的空气在地面吹起了一片灰尘。

贝克知道这是犀牛在警告敌人。犀牛不喜欢有人离自己这么近。

贝克认为，如果银背猩猩是聪明人，那么他应该安静地慢慢后退，然后消失在树林间。但贝克也很希望银背猩猩没有这么聪明。

犀牛解决了贝克心中的困惑。它怒吼一声，然后冲了过来。

银背猩猩大叫一声，想要再次爬上树枝。贝克把脚对准了银背猩猩的手指，然后慢慢踩了下去。

如果犀牛很愤怒，那么不让银背猩猩上树无异于杀死他。犀牛可能会撞倒他，用角刺死他，或直接用自己强壮的腿踩死他。贝克不忍心让任何人遭遇这样的下场。于

是，他不情愿地让银背猩猩上了树。

银背猩猩终于爬上了最低的一根树枝。他用双手和双脚紧紧抱着树枝。贝克和萨穆拉又向上爬了一点。

犀牛停下了脚步，有些不解地看着银背猩猩。

“快走。”他有点不知该说些什么，“走啊！”

犀牛站在原地，又大声呼了口气。犀牛用角的尖在灌木上划了一下，然后又大声呼了口气。贝克知道它已经愤怒了。

犀牛呼出的气有草坪和肥料夹杂在一起的味道。犀牛用角的一侧顶着树干。整棵树都随之晃动。银背猩猩把树枝抱得更紧了。

在树干又晃动了一下之后，犀牛朝后退了几步。它侧过身体看着树上的三个人。银背猩猩利用这个机会又向上爬到了更安全的地方。

但犀牛没有想放过他。犀牛侧过身体，使劲摩擦着树干。

树干又开始晃动了。贝克和萨穆拉紧紧抱着不断晃动的树枝。一些落下的树枝和树叶掉在了贝克的头发里。

不知道犀牛是否把他们三人看成了某种它想要晃下来的奇异水果，贝克想。犀牛严肃地看了他们一眼，然后用头使劲撞到了树干上。树干像暴风雨中的船只一样倒向一侧，然后又弹了回来。这差点让贝克从树上摔下去，银背猩猩也差点摔下去，但他用一只手和一只脚挂住了

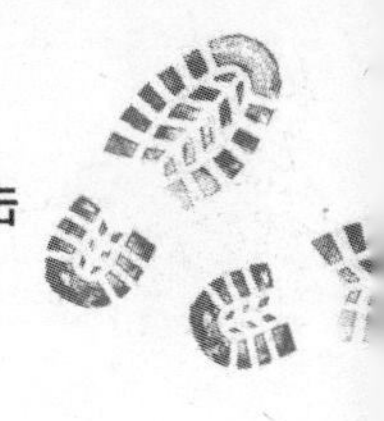

树枝。

犀牛又侧过头撞了树干一下。这一次，贝克听到了树干破裂的声音。贝克紧紧地抱住树枝，他觉得树干马上就要倒下了。这一次，银背猩猩终于从树上掉了下去。他重重地摔在地上，正好落在犀牛的脚边。银背猩猩迅速爬了起来，然后逃入了树林中。

犀牛看了他一眼，怒吼一声，也缓缓进入了附近的灌木丛。在犀牛看来，敌人已经逃走了。犀牛消失了。贝克和萨穆拉只能听到它一边前进一边发出的声音。

从贝克和萨穆拉的右侧发出了引擎启动的声音。之后，他们听到一辆汽车快速地消失在了黑夜中。

在贝克和萨穆拉的心情终于平静后，他们回到了他们之前休息的地方。贝克思考了片刻，然后咬着嘴唇，愤怒地踢了一脚附近的树枝。

萨穆拉吃惊地眨了眨眼。“怎么了？”

“怎么了？”贝克喊道，“我们刚才太愚蠢了！”他想了想，改变了说法，“我太愚蠢了。我们应该藏得更好一些。我不该生火。我应该把帐篷掩盖得更好。”

“贝克，你也不知道他会追踪我们来到这里的……”

“而且……”贝克想起了银背猩猩在月光下看着自己的眼神。虽然贝克几乎看不清银背猩猩的轮廓，但他清楚地看到了银背猩猩的面孔。银背猩猩也一定看到了贝克的

面孔。“他能够透过树林看到我是因为他发现了我的脸庞。人的脸庞是有光泽的，而且有着特定的形状。从现在开始，我们一定要更好地伪装自己。”

贝克从坡上爬了下来，从自己挖的蛇洞里找到了些木炭。在贝克点火前，那还是根很粗的树枝。现在，它已经变成了灰色的粉末。

“抬起头……”

萨穆拉抬起了头，贝克把木炭擦在了她的额头和鼻子上。之后，贝克在萨穆拉脸的两侧也各画了一道。贝克退后了一步，若有所思地看着萨穆拉，然后又走上前，在她的脸上随意画了几道。

“这样就可以了。人会本能地按顺序看到两只眼睛、鼻子和嘴。即使在黑夜里，人的面孔也会十分清晰。我们会自动把看到的信息综合起来，填缺补漏，拼凑出一张人脸。”贝克顿了一下，“所以，我们这样做可以干扰大脑的识别功能。”

贝克歪过头，继续看着萨穆拉。他确信这样的伪装足以让看到他们的人无法识别出这是人脸来。

贝克把木炭递给了萨穆拉。“帮我弄一下吧。”

第十四章

吃虫子的时间到了

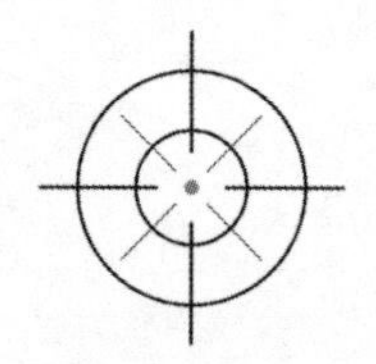

他们决定把黑夜的最后几个小时用来继续前进。很快，贝克再一次看到面前的草原被阳光染红。这是他们探险的第二天了。

他们身上有足够第二天食用的斑马肉。贝克已经用火把它们都烤熟了，所以肉不会很快腐坏。

在中午时，他们来到了猴面包树前。猴面包树围绕着一潭水。这潭水面积很大，几乎可以算是一个小湖了。在这里休息是个不错的选择。贝克和萨穆拉不是唯一需要水和阴凉的生物。在他们身边还有几只黑斑羚。黑斑羚紧张地看了看贝克和萨穆拉，然后走到了一旁。

猴面包树是一种很奇特的树木。看上去，仿佛有人把它们横着种了一排，然后把它们焊在了一起。猴面包树的树皮光滑发亮，树干很粗。猴面包树有很好的果子——它

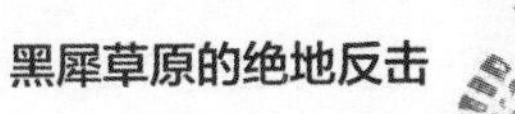

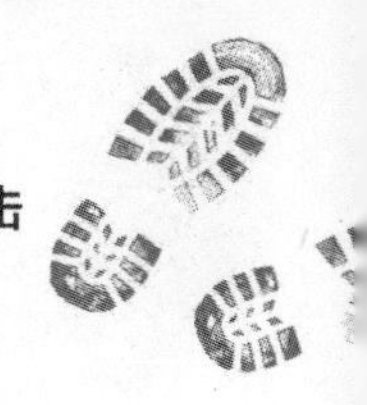

们有儿童玩的橄榄球般大小。猴面包树的果子吃起来像酸橘，但它们很有营养，是很不错的食物。

用斑马胃制作的水壶里还有四分之一的水。贝克和萨穆拉决定把水喝完。在胃中泡了这么久之后，水的味道很糟糕，但贝克和萨穆拉还是咬紧牙关，把水喝了下去。

之后，贝克找到了一个水较浅的地方，把胃沉到水中，再次将其灌满。

在猴面包树的阴凉下休息是一件很惬意的事情。贝克也知道下午的太阳将非常毒辣。但他们必须继续前进。有人在追踪他们。他们必须以最快的速度把后面的人甩掉。

走了一阵后，贝克很高兴地看到前面白蚁丘中长出的杰克贝瑞树。这棵树顶多只有 3 米高。树干顶端有树枝和浓密的深绿色叶子，这让它看起来仿佛是个巨大的“T”字。这棵树无法提供太多的阴凉，但树上有绿黄色的圆形果子。果子看起来仿佛是放大了的七叶树果子。贝克迅速爬上了树，摘下了几个果子。

果子的外皮很坚固，他们只能先用牙把皮咬开，然后才能剥皮。果肉是白色的，吃起来略有点柠檬味，但至少它是可食的。

对于贝克来说，树下的白蚁丘才是真正的宝藏。

白蚁丘看上去仿佛是地下爆炸后凝固而成的。白蚁丘的顶部很尖，整个高度略高于贝克。贝克看到上面有两三

只白蚁在爬行，但他知道，有数以百万计的白蚁是在白蚁丘里面的。

白蚁体内所含的营养比蔬菜更丰富，所含的蛋白质也比牛肉高。白蚁丘仿佛是上天给他们的礼物。但不幸的是，并非每个人都像贝克这么去看待白蚁丘。贝克不断思考着该如何告诉萨穆拉，是时候吃点虫子了。

“你喜欢吃肉豆蔻吗？”贝克貌似随意地问。

贝克的语气让萨穆拉有点担心。“可能会喜欢吧。怎么了？”

“那么……”贝克拿起了一根树枝，“你可能也会喜欢吃起来像肉豆蔻的东西，对吧？”

在明白了贝克的意思后，萨穆拉睁大了眼睛。但让贝克吃惊的是，萨穆拉笑了。“你是说白蚁吗？”

萨穆拉从贝克手中夺过了树枝。她把树枝插到白蚁丘里，然后开始转动树枝。当她把树枝拿出来时，上面已经爬满了白蚁。白蚁的本能让它们紧紧咬住了树枝。萨穆拉从上面拿下了一只白蚁，然后丢到了自己嘴中。

“我之前没有想到，但白蚁的确吃起来像肉豆蔻，对吧？”

“嗯……对。”贝克还是对萨穆拉对白蚁的接受程度感到吃惊，他也迅速吃了几只白蚁，“所以——你之前吃过白蚁，对吧？”

“虽然我们南非人不只是吃白蚁——我们也会去超市

购物——但答案是没错，我的确曾为游客表演过吃白蚁，而他们每次看到我这么做时总会一脸痛苦。”

贝克笑了。

“但我其实很喜欢白蚁的味道。”萨穆拉补充说。

他们很快吃完了树枝上的白蚁。是时候上路了。

周围逐渐冷下来，看着阳光逐渐变红，贝克觉得他们今天的战果不俗。到了明天这时候，他们可能已经回到绿色力量的办公室了。

在前方，贝克看见了一片高坡。上面的树林和灌木丛挡住了落日。

“休息吧。”贝克建议。

萨穆拉打量了一下前方。“那儿树林太茂密了。没准儿会有一只猎豹躲在树上。在跳下来攻击你之前，你甚至都不知道它躲在那里。但我们可以过去看看……”萨穆拉停了下来，把头侧向一方，“听到了吗？”

贝克聚精会神地听了片刻。“什么也没有听到。”

萨穆拉慢慢地走向树林，然后又停了下来。贝克终于听到了声音。那像是顺着风传过来的呜咽声。“应该是某种动物。”

“从声音判断，是受了伤的动物。”

贝克迅速抬头看了眼天空，天空中没有秃鹫。即使有动物受伤了，它的伤势也还没有重到能够吸引秃鹫的地步。

贝克和萨穆拉顺着呜咽声小心地走了过去。终于，他们在树林深处找到了声音的来源。

它躺在一片空旷的土地中。那是一条大小和大狗差不多的动物。它的身体在不断起伏，偶尔还会发抖，仿佛非常痛苦。

那的确是一条狗——一条非洲野犬。

野犬有着又长又细的腿。它的身体很精瘦，身上都是棕黄色的毛发。野犬的毛发是天生的伪装，任何动物都很难发现躲在草丛中的野犬。野犬圆形的头部上长着圆形的耳朵，看起来仿佛雷达天线，它的耳朵在听到贝克和萨穆拉接近后立刻竖了起来。

贝克可以看出，野犬知道他们的具体位置。

但野犬没有嚎叫，也没有抬头，或许是因为身体难受而顾不上他们了。

“哦，好可怜！快看！”萨穆拉小声说，虽然她根本不需要降低自己的声音。

贝克可以看到野犬前腿和肩部缠绕着的铁丝。铁丝还连着树枝上的另一根铁丝。这意味着野犬的前腿被绑到了它的胸前。这样一来，野犬就完全无法移动了。

“是一个陷阱。有人把树枝拉倒在了地面，然后把树枝固定在了地面上。之后，他们给树枝上系上了铁丝做的

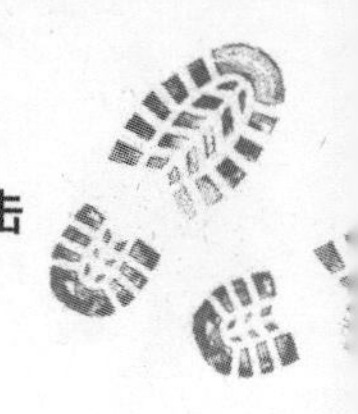

圆圈。当动物碰到树枝后，树枝就会弹回原来的位置，从而把动物困在铁丝中。”

贝克也会用陷阱捕猎，但他只有在迫不得已、非常需要食物的时候才会如此。但在捕猎时，必须为你想捕猎的动物特别设置陷阱，而且你不能让它受伤后躺在原地。其他动物很有可能会撞到你的猎物。

“肯定是偷猎者干的。这只可怜的野犬可能已经在这里躺了很多天，然后再慢慢地死去。”萨穆拉嘟囔着。

“是的……”贝克慢慢走到了野犬的头部旁边。野犬竖起了耳朵，跟踪着贝克的动作。野犬用自己透露出聪明的深棕色眼睛盯着贝克。

“小心点。”萨穆拉说，“它和狼一样野性十足。”

“狼没有被人类驯化。”贝克说。

“对。这条野犬——这条母野犬——不会把你想象成主人，它会把你看作猎物。不要因为它现在很安静就掉以轻心。”

贝克走到了野犬看不到的地方。犬类很看重地位，如果你比它体积更大，而且直视着它，它很可能把这看作挑战。贝克不想让这条野犬感觉受到威胁。

“贝克，你要知道野犬是濒危动物……我们应该尝试解救它……”萨穆拉小声说。

“我也觉得应该这样做。”贝克从野犬的深色眼睛中看

到了智慧。他可不愿意这双眼睛被死亡笼罩。

贝克还带着之前用来割斑马肉的肋骨刀，就在他的腰带上。贝克拿出了刀，仔细打量着还插在刀把中的刀锋。之后，贝克绕到了野犬的后面。它的耳朵又动了一下。它知道贝克就在自己的后面。但贝克觉得，只要它看不到自己，它就不会惊慌。

贝克蹲了下来，把刀伸进了野犬被紧紧绑住的前腿缝隙中。他能感觉到刀锋插入了铁丝中，并碰到了阻碍。他开始轻轻地来回移动刀锋，好让铁丝变得松一些。贝克知道刀锋很脆弱——它可能随时会折断。

野犬又呜咽了一声。贝克忍住了想要抚摸它的冲动。正如萨穆拉所说，野犬不是家犬。它不是贝克邻居家的宠物拉布拉多犬——世界上感情最丰富、最友善的哺乳动物。它则是危险的食肉动物，只不过暂时和自认为是世界之主的人类达成了停战协议。

铁丝有些松开了。贝克拿着铁丝，慢慢把它从野犬腿部的伤口中拔了出来。野犬吼了一声，然后挣扎了一下。很快，贝克就完全把铁丝拿了下来。野犬挣扎着想要用前腿站起来。

贝克赶快躲到了一旁。

野犬挣扎了片刻，然后跌倒在了地上。它的前腿还不足以支撑自己的重量。

萨穆拉兴奋极了。“干得好，贝克。也许我们可以——”

突然，她的笑容僵住了，然后完全消失了。“贝克……”

贝克把眼神从野犬身上转了过来，顺着萨穆拉的眼神望去。

灌木丛中有一双在落日的反光下发出绿色光芒的眼睛。有影子在移动。在他们的正前方、左边、右边——四面八方，有四只、五只、六只……

贝克刚才忘了关于非洲野犬的一个重要事实——它们是群居动物。

其他的野犬回来了。

“嘿，”贝克说，“你们是好狗狗吗？”

一条野犬吼了一声。看到贝克的动作后，它缩了一下。

“啊，有什么建议吗？”贝克问。

“离开受伤的野犬。”萨穆拉说，“如果它们觉得你要伤害它，它们会立刻攻击你的。”

贝克解放的野犬还在挣扎着用伤腿站起来。它的状况已经比刚才好多了。贝克小心翼翼地慢慢退了两步。

一条野犬嘴中咬着一条羚羊的腿。它走到受伤的野犬面前，把肉放在了它的嘴边。受伤的野犬高兴地开始狼吞虎咽。

“太神奇了。”萨穆拉小声说，“其他野犬正在照顾自

已的伙伴。它们为它捕猎去了。”

其他野犬围住了贝克和萨穆拉。贝克知道它们正在想什么。它们的伙伴受了伤，两个人类出现在了它的身旁。因此，一定是两个人类让它受伤的。它们不可能知道是贝克救了它们的朋友。

“它们会攻击人类吗？”贝克小声问。

“很少。”

“好……”贝克顿了一下，“但这不意味着它们绝对不会攻击人类。”

“对。”

贝克又顿了一下。一条野犬向前走了一步，但它看到贝克动了一下后，它又退了回去。

“它们会让我们悄悄地离开这里吗？”

萨穆拉看了看周围，他们已经被野犬包围了。“多半不会。总会有一条野犬鼓起勇气攻击我们的，所以，还是让我们先动手吧。”

她突然举起手，然后朝着身边最大的一只野犬冲了过去——它仿佛从很久之前就在考虑把人类变成自己的美食了。“哈！”

野犬躲到了一旁。

“哈！快，贝克——你也来！哈！”

萨穆拉挥舞着手臂朝另一条野犬奔去。贝克也冲了过

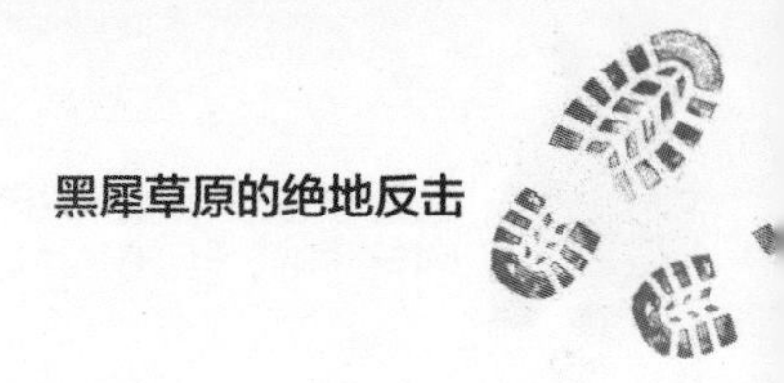

去。野犬的包围圈被冲散了。

“只要对手比自己更大、更强壮，野犬就会尊重对手，所以我们一定要表现得比它们更强壮。哈！来这边！”

他们一边喊叫一边挥舞着双臂，来到了空地的一侧。野犬聚集在另一侧受伤伙伴的身边。

“现在，我们可以慢慢退开了……”萨穆拉说。她拉着贝克的袖子，缓缓地把他拉到了树林间。

慢慢地，他们进入了树林。当贝克再次回头时，他已经看不到野犬了。

“现在我们可以加速了。”

他们疾速来到了另一片空地。太阳几乎已经下山了，所有的土地都被最后的红光和黑暗笼罩。再有半小时，天就要黑了。

“我们要继续前进。”

他们加快步伐往前走着。现在他们还不需要奔跑，那只会让他们浪费体力。现在，他们只需要持续不断地前进，就能拉开自己和野犬之间的距离。

“它们会改变主意吗？”贝克问。

“或许吧。或许它们会意识到自己还很饿，非常需要吃饭。但它们也可能会忘了我们，然后在那里休息一夜。”

贝克意识到他和萨穆拉暂时是不能休息了。至少在远离野犬之前，他们都不能停下脚步。他们必须走到很远之

外一个安全又易于防御的地方才能放松。如果野犬在昨晚帐篷那样的环境下找到他们，他们就只有死路一条。

贝克开始思考他们需要找到的藏身之处。或许他们会找到一棵上面很宽敞的大树，比如一棵猴面包树……

突然，他们身后传来了犬吠声。很快，其他野犬也开始接二连三地吼了出来。

“它们可能已经改变主意了。”萨穆拉说，“快跑！”

第十五章

只能有一个幸存者

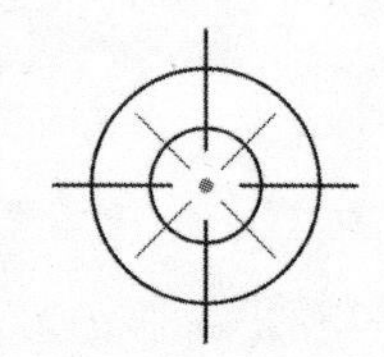

长草擦过他们迅速迈出的双腿。贝克不愿意回头，那只会让他放慢脚步。贝克已经开始想象野狗露出流线型的黑影，像地面上的游鱼一样，迅速朝他们冲过来。

“我们能够再次吓唬它们吗？”贝克一边跑一边问，“比如我们也大吼一声。”

贝克的肩膀上还挂着斑马胃水壶。每跑一步，晃悠的水壶就会撞到他的腰。贝克想过扔下水壶以减轻重量，但抛弃水真的是一个非常坏的主意。

“如果它们已经决定……要捕猎了……”萨穆拉一边奔跑，一边喘息着答道，“这意味着它们已经……鼓起了勇气。”

“好吧……”贝克看了看前方。前方的路并不平坦。在远方，贝克可以看到一些树和一些石头。或许他们可以在那里找到抵抗野犬的藏身之处。他们需要找到一个野犬只能从一个方向扑来的地方。如果那里有贝克可以舞动的武器，比如树枝或岩石，那么贝克可以让它们无法接近自己和萨穆拉，直到它们再次改变主意。

萨穆拉放慢了脚步。

“怎么了？”贝克惊呼。

萨穆拉弯下了腰，用手抓住了膝盖。贝克很难相信萨穆拉这么快就跑不动了。

但萨穆拉不是因为这个原因停下的。她在呼吸了两下后，又站直了身体。萨穆拉凝视着贝克的眼睛：“我们需要分开。”

“分开？”

“野犬会集体行动。它们必须留在团队中，一起捕猎。这意味着它们只能追击一个目标。我们有两个人，如果分开，最坏的结果是它们会选一个人继续追下去，最好的结果是它们会不知所措并放弃捕猎。贝克，我们必须现在做决定。最多再有两分钟，它们就追上来了。”

贝克张着嘴看着萨穆拉。他本能地反感这个建议。贝克和萨穆拉是朋友，他们不应该分开！但如果他们继续在一起……

萨穆拉比自己更了解野犬，贝克知道。现在不是吵架的时候。

“好吧……”贝克和萨穆拉相互看了一眼，贝克突然意识到，他们需要在此说再见了，“你知道我们的目的地在哪里，对吧？”贝克问。萨穆拉点了点头。“我们今晚继续前进，然后白天再寻找彼此……”

突然，他们彼此拥抱。然后，两个人一言不发，萨穆拉朝右，贝克朝左，同时开始快速奔跑。

前方地平线上有块状物体，贝克希望那是一块岩石。在更远100米左右的地方是一片树林。野犬不会爬树，但贝克能够在它们赶来之前爬上去吗？岩石是更好的选择。如果他能够爬到岩石上，他就能够打退想要爬上来的野犬。贝克在干燥的土地上快速奔跑着。在三十秒钟后，他突然放慢了脚步。

“快，狗狗……”贝克喊，“汪！汪！”然后，贝克吹了声口哨，“来这里，孩子们！”

贝克知道自己跑得比萨穆拉更快。贝克更高大，腿也更长——这意味着如果他像萨穆拉一样全力奔跑，野犬多半会选择萨穆拉，因为她的速度更慢。

贝克必须让野犬选择追逐他。贝克必须让野犬觉得不怎么费力就能追上他。贝克必须尽力让野犬放弃萨穆拉。

贝克身后的黑暗中传来了吠声。野狗中了贝克的计。听到叫声后，贝克突然开始加速。

“我是尤塞恩·博尔特。”贝克咬着牙说，“后悔了吧！”

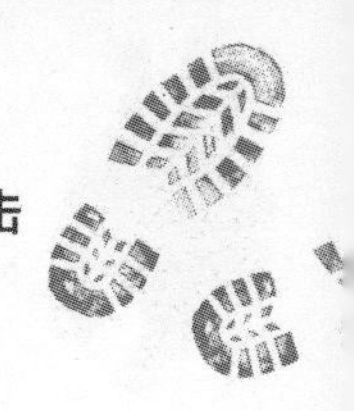

如果贝克能够发挥出博尔特这位奥运会金牌得主一样的水平，那再也没有比现在更适合的机会了——他的身后就是一群野犬。

突然，贝克被一条树根绊了一下，他踉跄了一下。贝克企图摇摆双臂找回平衡，但他还是摔在了地上。贝克翻滚了一下，然后迅速一跃而起，继续奔跑起来。

但野犬还是迅速拉近了和贝克的距离。

野犬默默地追逐着贝克。它们知道自己不需要吠叫。夜里只传来靴子踩在地面上发出的声音和贝克的呼吸声。贝克觉得自己仿佛能够看见身后的野犬在接近自己。

奇怪的是，贝克并不责怪野犬。它们只是按照自己的天性在集体捕猎。这是大自然的法则。它们并没有把贝克看作敌人，它们不是因为贝克给它们造成了麻烦、可能揭穿它们的秘密或阻止它们的项目而对他痛下毒手。野犬不是路莫斯。

它们只是单纯地想吃了贝克。

而它们比贝克更快、更强壮，数量也更多。

为了活下去，贝克必须利用自己的智慧。

贝克的眼角仿佛能够看到两侧正在接近他的暗影，它们已经到了贝克的身边。为什么野犬已经追上了贝克却还不出手？贝克脑海里的声音提供了符合逻辑的答案：它们

必须找到一个适合出击的位置。

所以，它们现在只是包围了贝克，然后通过一起奔跑来限制贝克的路线。它们并不着急。它们知道贝克会先疲惫。而只要贝克放缓速度，它们就会飞速扑上去——这也将是贝克生命的终结。贝克知道，自己已经无法坚持太久了。

贝克看上的岩石就在自己的正前方——那看上去仿佛是座坍塌的山丘。岩石的一面有四五米高，底下还有一些石头支撑它的重量。看到岩石让贝克精神一振，好像恢复了一些额外的体力。他朝着岩石离自己最近的地方，以最快的速度跑了过去。贝克的身体告诉自己，马上就要撞到岩石了。身体的本能希望贝克能够减速，以免在撞到岩石后受伤。

“这并不可怕。”贝克如此对身体下达命令，“继续全速前进。”

在马上就要撞到岩石时，贝克全力一跃，然后迅速地爬到了岩石顶上。

现在贝克可以防御野犬了。贝克站在岩石中的一小块缝隙中，他的背后就是石头。野犬只能从他面前扑过来。

野犬来到岩石前，有些疑惑地吼叫着。在野犬看来，贝克有些不按常理出牌，他本不该这样。一条野犬朝岩石扑了上去。它的前爪扒着光滑的石头，努力想要爬到贝克

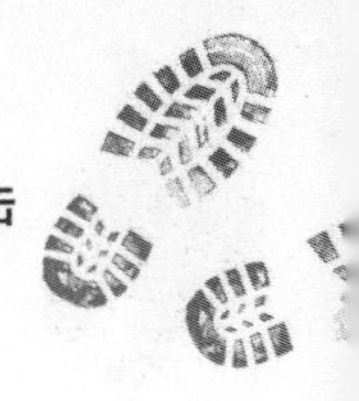

的藏身之处。

贝克身体前倾，然后大吼一声："哈！快走开！"

他做出要踢野犬头部的动作。野犬缩了一下，然后掉了下去。野犬在空中扭动着身体，然后重重地摔在地上。

"太棒了！人类男孩赢了第一轮！谁是下一个？"

野犬在下面又开始吠叫。贝克看了看下面。数对冒出绿光的眼睛凝视着他。又有一条野犬小心地把前腿放在了岩石上。

"哈！"

野犬没有后退，但它也没有想要爬上去。贝克觉得他和野犬仿佛达成了某种协议。只要贝克还在动，野犬就不会攻击他。

贝克要做的是在这里清醒地待上一夜，然后在第二天等着萨穆拉搬来援兵。但在贝克看来，这个计划仿佛不那么现实。

"我需要想想别的办法。"贝克自言自语道。

他还有水，甚至还有一些斑马肉。如果贝克把斑马肉丢给野犬，它们会离他而去，还是会把斑马肉当作开胃菜？贝克决定留下斑马肉。他不知道自己会在这里待多久。这里也没有其他的食物。

野犬用爪子扒着岩石。贝克停下脚步，然后缓慢地看了看四周。

“哦，太糟了。”

贝克所在的缝隙围着岩石绕了一圈。在两侧，缝隙直接连着地面。一条野犬已经从那里绕了过来，野犬离贝克还有几米的距离，但它已经做好了扑过来的准备。

“哈！”

野犬缩了一下，但它没有后退。

贝克又试了一次。“我说，哈！哈！走开！笨狗狗！”

这一次，野犬甚至没有动弹。野犬并不是懦夫。它已经鼓起勇气来追了这么久，现在不是退缩的时候。野犬把头低了下去，几乎是贴着地面，然后露出了牙齿。野犬也把自己圆形的大耳朵对准了贝克。

“在野犬腾空时攻击它。”贝克告诉自己。贝克凝视着野犬的眼睛，然后慢慢转动着身体，接着蹲了下来，摆好了姿势。贝克知道自己只有一次机会。野犬会扑过来，在它跳起来后，它将无法改变方向。如果贝克可以移动到野犬身下，把它推到岩石下面去……

只有一次机会。人类男孩和野犬都做好了放手一搏的准备。

突然，传来了一声枪响——这个爆炸性的声音打破了黑夜的寂静。贝克和野犬之间的一块石头粉碎了。与此同时，贝克还听到了子弹打到岩石上发出的尖厉的声音。

野犬转过头，快速地跑掉了。

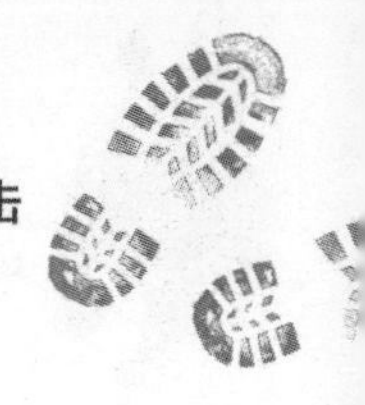
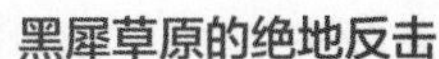

其他野犬有些迷惑。此时，又传来一声枪响——这一次，子弹击中了贝克下方的石头。其他野犬也逃走了。

贝克坐了下来，望向子弹飞来的黑暗地带。他想看看这个突然出现救了自己的人究竟是谁。突然，贝克的心沉了下来……因为，他看到熟悉的银背猩猩的影子从草原上走了过来。

更让贝克担心的是，他看到银背猩猩背后跟着詹姆斯·布雷克。

贝克闭上了眼睛，用头撞了一下膝盖。

贝克不禁想着，为什么看到自己最大的敌人轻松走过来时他还能够坐在原地。简单来说，这是因为贝克太疲惫了。他已经无法继续逃跑了。

银背猩猩来到岩石旁，抬头看了眼贝克。银背猩猩一只手里随意地拿着威力十足的手动式猎枪。枪把靠在他的腿上。银背猩猩穿着军队样式的卡其色衬衫和裤子。

詹姆斯的手叉在腰上，脸上露出了愉悦的笑容，看上去仿佛是一个出来旅行的城市男孩——他穿着T恤、长裤和拖鞋。

银背猩猩先开了口。“不用谢。你要下来吗，孩子？”

贝克迅速思考了一下自己全部的选择。他的选择并不多。实际上，他已经没有什么选择，也没有什么退路。毕

竟，他面前站着的是一个拿着枪的男人。

“不了，我还是留在这里好了。”

“孩子……”银背猩猩仿佛想和他讲道理，“如果我想杀你，你早就死了。”为了证明自己的话，银背猩猩把枪背到了自己的肩膀上。他举起了自己的双手。他手里什么也没有。“如果我们想看场好戏的话，我本来可以让你和野犬决一死战的。”

詹姆斯打了自己的朋友一拳。“不，我们不会那样做的。”他说。

银背猩猩耸了耸肩。“随便你怎么说。”

银背猩猩迅速跑到了贝克身边。他伸出了手，拉住笨手笨脚、正要爬上来的詹姆斯。贝克做好了逃跑的准备，但他已经无路可逃。即使贝克利用银背猩猩帮助詹姆斯的机会逃走，银背猩猩也会在数秒钟内追上他的。

而且——贝克疲惫的大脑终于意识到——银背猩猩是对的。他早就有机会杀死贝克，但他并没有开枪。

于是，贝克只是坐在原地。他太疲惫了。

詹姆斯满脸笑意地来到贝克身边。“我能不能……”

虽然没有得到贝克的许可，詹姆斯还是盘腿坐了下来。银背猩猩站在詹姆斯身后，靠在了岩石上。贝克等着詹姆斯先开口说话。

“我并不因为无法得到你的信任而怪罪你，贝克。”詹

姆斯焦虑地笑了下，“你现在看到的是一个全新的詹姆斯。是你让我变成了这样。我需要感谢你。”

贝克充满疑惑地看着詹姆斯。

“哦，这位是伊恩。”詹姆斯朝银背猩猩点了点头后补充说，“伊恩·波斯多克。你们应该相互认识一下。”

“你好。”银背猩猩朝贝克打了声招呼。

贝克不知道是否有足够的毅力礼貌地对伊恩打招呼，于是他只是哼了一声。

詹姆斯脸上的笑意更浓了。“哇，我该从哪里开始讲呢……”

“首先，你没有在阿尔法岛死去。”贝克说。

“对……”詹姆斯脸上的笑容消失了，“我没有死。”

贝克知道詹姆斯的妈妈在阿尔法岛的爆炸中死去了。虽然她一直想置贝克于死地，但贝克本想留下来帮助她，只因为那样做是正确的。而且，贝克知道失去自己的母亲是什么滋味。没有人应该经历这种感觉——即使是詹姆斯，即使是詹姆斯妈妈那样的母亲。

“我非常抱歉。”贝克真诚地说。

詹姆斯耸了耸肩。“我知道。简单来说，我上了一条救生艇，然后漂到了一个岛上。利用你教给我的技能，我活了下来——虽然那并不容易。但我不断磨炼着自己的能力。让我活下来的动力之一就是不断想象以后该怎么杀死

你。我有那么多种方法可以选择，我又有那么多时间。在两个月中，我都被困在了那个岛上。两个月。”

贝克知道詹姆斯是认真的，但这么随意把想要杀死自己的想法面对面说出来，实在是一种有趣的叙述方式。贝克不得不告诉自己，詹姆斯的成长环境与众不同。于是，贝克只是重复道：“我很抱歉。”

詹姆斯笑了。“你知道吗？这是我这辈子最好的一次经历。对，在前两天我几乎撑不下去了。但救生艇里有一些备用食品，而且你教会了我找到食物和水的方法，也教会了我如何生火——我告诉你，这才是最艰苦、最漫长的工作。在整个过程中，我一直很愤怒。我是对你很愤怒。你仿佛就在我身边，站着静静地看着我。我因为你留下我送死而吼叫咒骂，但我一直想象着该如何复仇，正是这些想法让我撑了下去。”

詹姆斯看上去仿佛有些害羞。

“然后有一天，我在吃过烤熟的饭后睡着了。当我醒来时，火还燃烧着，我也为早餐预留了一些食物。我知道自己不会挨饿，而那天的天气又很好……我突然明白了是你救了我。你曾努力领导我们所有人在岛上活下去。那时，你教会了我很多事。”

詹姆斯顿了一下。

“那个早晨，我仿佛突然醒悟了。我突然感到内心平

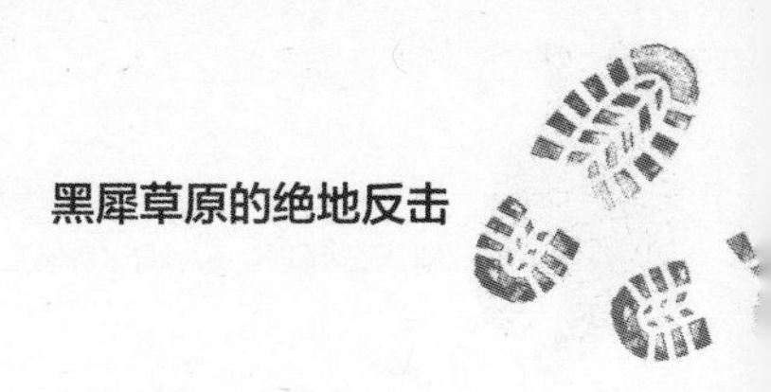

静快乐。虽然我有过很多经历，但这是我之前从未体验过的感觉。”

詹姆斯又顿了一下，仿佛想寻找一种更为准确的表达方式。

“当时我孤身一人……我有很多思考的时间。我很努力地活了下来。事实上，这是我这辈子第一次这么努力。而且，我全无压力，没有人强迫我干自己不想干的事情。没有人告诉我，只要路莫斯获益，那么是否有人受到伤害根本无关紧要。我的意思是……”

詹姆斯停了下来，他没有说完这句话。贝克在脑海里把句子的结尾补充了一下。“我的意思是，我再也不用被妈妈误导了。”

“我还会想起妈妈。”詹姆斯轻声说，他仿佛读出了贝克的想法，“我的意思是，她毕竟是我妈妈。我无法不去想念她，对吧？”

贝克点了点头。

詹姆斯安静了片刻，然后继续说了下去。“生活有时就是这么残酷。但我们只能活一次，而我想做点有意义的事情，而不是总做错误的事情。因此，我在海滩上铺了‘SOS’——这也是你教给我的，记得吗？当有飞机看到这个求救信号后，我意识到我有一个选择：我可以按照妈妈教给我的方式过一生，或者按照自己的想法过一生。我

可以活得有意义，也可以继续以错误的方式活下去。”

“那路莫斯怎么办？”贝克问。

詹姆斯顿了一下。“我也不知道。但我知道我不能像以前一样生活下去了。”

詹姆斯转头看了伊恩一眼，他的脸上又露出了温暖的笑容。“我知道伊恩可以帮到我们。”詹姆斯顿了一下，“来，伊恩，做个自我介绍吧。”

第十六章

不可能完成的计划

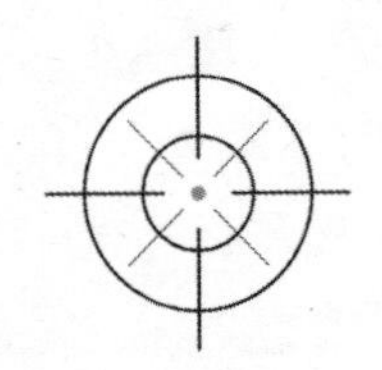

伊恩的脸上露出了痛苦的表情。贝克猜他不是一个喜欢多说话的人。

“在詹姆斯还小的时候，我曾为他的母亲艾比服务。”伊恩说，“她和我——我们关系很近。我们甚至差点结婚。但我不喜欢她后来的生活方式。我不希望詹姆斯也那样生活。”伊恩转过头面对詹姆斯。在一瞬间，他之前的硬汉形象被温柔所取代。“他是个好孩子……但艾比因为和我意见不同而赶走了我。但我和詹姆斯——我们一直保持着联系。”

詹姆斯一直等着伊恩说下去。但过了一阵他发现，伊恩已经不准备开口了。詹姆斯耸了耸肩，接着刚才伊恩的话题说：“我把事情的一切都告诉了伊恩。他同意帮助我。”

贝克想起他和伊恩第一次见面是在贫民窟。当时，伊

恩开着黑色吉普车，想要把贝克拉进车里。

“你帮人的方法真是与众不同啊。”

伊恩和詹姆斯同时眯了眯眼睛。

“不管你怎么想，孩子，是我们救了你的命。还有你伯伯的命。”

“你在说什么？你是指在贫民窟发生的事情吗？”

“不，在伦敦。”詹姆斯说，“虽然伊恩已经不再和我妈妈来往，但他还是路莫斯的员工。他偶尔听到我的外祖父正在计划一场大行动。”

“大行动？”

“对你展开攻击。”伊恩说，“从而永远地解决掉你。他们有很多狡猾的计划——整个加勒比海事件都是为了在杀你的同时毁掉你的名声，让所有人把你忘记……现在，布雷克先生终于决定痛下狠手了。他准备派枪手在半夜去你家，砰砰砰几枪——永远地把你解决掉。”

“所以我才需要把你骗到国外。”詹姆斯说，“所以我才选择了南非。”

“你本来可以直接把整个事情告诉我的。”贝克指出。

“然后让我的外祖父知道路莫斯有内鬼？我可不能这样。我必须让整件事看起来是你的主意。我的计划是把你骗到南非后在大庭广众之下把你绑架，然后假装你被杀掉——之后进行我们现在的对话。但你改道贫民窟的决

定让整个事情都复杂了很多。然后，你还被偷猎者绑架了……”

“我们一次次地动用备选计划。”这一次，伊恩几乎笑了，“找到你很不容易，特别是在你毁掉了跟踪器后。在那之后，找到你成为一个挑战，我甚至有点喜欢这个挑战。我必须用最传统的方式找到和跟踪你，就好像一名猎人要找到猎物一样。”

“嗯……”不久之前，贝克还和自己的朋友布兰虹妮一起在澳大利亚内陆追踪一名男子的足迹。这并不容易，也经常会让人懊恼——不过，回想起这件事时，贝克觉得这的确是个会让人兴奋起来的挑战。不过，贝克不喜欢被别人称作猎物。

“那现在这是又一个备选计划了？”

“可以这样说。”詹姆斯说，“我没有数我们到底准备了几套计划。路莫斯必须真的认为你死了——在伊恩报告说野犬已经把你咬得四分五裂后，他们会这么想的。”

“很血腥，你各种号叫……”伊恩笑着说，“真的很恐怖。布雷克先生会很高兴的。”

突然，伊恩脸上的笑容消失了。他凝视着远方，伊恩把望远镜从挂在腰间的盒子里拿了出来。

詹姆斯继续说：“这样，你就不会再给他们添麻烦，也就不会在他们的雷达上出现了。这意味着我们可以携手给

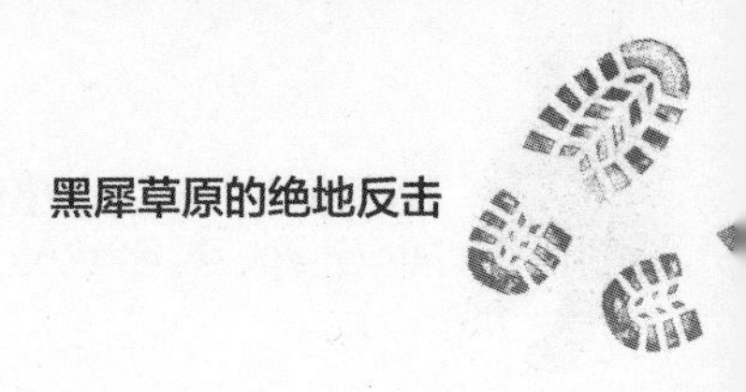

路莫斯以致命一击。你觉得这个计划怎么样？”

“哇！”这是贝克此时此刻的想法。他需要点时间才能消化这些信息。

但贝克很快发现自己做不到这一点。从根本上来说，他一点也不信任詹姆斯。贝克有着切肤之痛：他知道詹姆斯可以轻而易举地说出各种各样的谎言。有什么能够证明他变了呢？事实上，刚才詹姆斯的这段话反而让贝克对他更为怀疑。

“为什么我要相信你？”贝克问。

詹姆斯的脸色变了，仿佛贝克刚刚踢了一脚他心爱的小狗。

但贝克必须确定詹姆斯的改变是真心实意的。到现在为止，詹姆斯只是叙述了一个很美好的故事。贝克需要证据。

“不好。”伊恩突然说，他一直用望远镜望着远方，“有人要来了，而且不是好人。”

贝克和詹姆斯同时站了起来，他们也望向了远方。天还是太黑，他们几乎什么也看不到。但贝克可以隐隐听到从远方草原传来的引擎声。

“公园的守护员吗？”

“守护员是不会开这样的破车的。不，我觉得应该是贝克的偷猎者朋友。”

“什么！”詹姆斯喊道，“这不可能！他们为什么要一直追他？”

“他们不是在追我。”贝克嘟囔着。这个小团队可不是出来搜寻两个烦人小孩的零星偷猎者。“他们是在寻找攻击他们根据地的人。你开着吉普车，对他们来说跟踪你不是一件难事。”

“对。我很抱歉。”伊恩把望远镜拿了下来，但他的口气听上去毫无抱歉之意。

贝克觉得自己仿佛是在做梦。他看到伊恩摘下了枪并把它举了起来。“不要开枪！”

伊恩停了下来，他对着贝克抬了下眉毛。

“你希望我们一起合作对吧？”贝克用严厉的语气问，“如果是这样的话，我有我的准则，其中一条就是：不许杀人！”

“包括来杀你的人吗？”伊恩问。

“对，包括。”

伊恩又把枪背了起来，他叹了口气。“反正我也不可能杀了他们所有人。”伊恩迅速地看了看四周的岩石，“我们也不可能在这里待下去。生存专家，你有什么计划吗？”

贝克知道自己有几个选择。他看了看草原远方的树，那是他之前的目标。

“逃跑。”贝克说，“然后躲起来。”

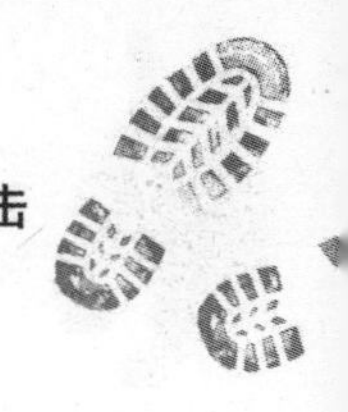

树比贝克想象中遥远——他们大概走了200米左右。贝克还没有从刚才的奔跑中完全恢复。贝克发现，自己渐渐地落在了快速前进的詹姆斯和伊恩身后。

“他们看见我们了吗？”詹姆斯喘息着问。

“应该没有。”伊恩咬着牙说，“我们一直躲在影子里。快点，贝克！”

偷猎者是从东边朝他们移动的，而太阳正在从西边落下。这意味着偷猎者必须直视落日的强光。除了岩石之外，他们应该什么也看不到。贝克一行人应该只是隐约的黑影。

“但他们很快会找到吉普车。”伊恩补充说，“这样一来，他们应该知道我们就在附近了。”

在偷猎者到达岩石之前，贝克一行人已经挣扎着走到了树下。他们在细细的树干后躲了起来，然后回头看了一眼。

偷猎者的车辆已经围住了岩石。偷猎者已经开始下车。他们过来检查树下是早晚的事情。很快，贝克看到有人望向了他们的方向。贝克赶快把头缩了回去。贝克没有听到偷猎者急促的叫喊声，这意味着他们没有看到他。但当贝克再次望向那边时，偷猎者已经朝他们走了过来。

“撤退。”伊恩命令。贝克和詹姆斯没等他说第二遍就继续朝树林深处走了过去。

很快，他们来到了树林的中心。这里应该曾经是一个

水潭。现在，水潭已经基本干涸，只剩下一些泥水。

偷猎者的声音离他们更近了。贝克和詹姆斯已经能够听到偷猎者说话的声音了。

“好吧。”伊恩一边说着，一边又把枪摘了下来，“我们现在的计划是这样：你们两个快跑，我来挡住他们。我可以窜来窜去，让他们认为我有好几个帮手——这也许会让他们放缓脚步——”

“他们会杀死你的！”詹姆斯急促地打断了他。

伊恩耸了耸肩。“人固有一死——”

“没有人会死！”贝克小声喊道，“我们每个人都要藏好。”他蹲在了泥水旁。

“怎么做？再次爬上树吗？”伊恩用讽刺的口气说，“还是说我们应该挖个洞？”

“再次爬上树。”贝克说。在贝克站起来时，他手上已经抓了一把泥。泥闻起来像是土和腐烂植物的混合物。贝克把一根手指伸进了泥中，然后像和萨穆拉一起在脸上伪装一样，把泥抹在了自己的脸上。“我们必须这样伪装。”

詹姆斯厌恶地看了看泥，但他最终把手伸向了贝克手中的泥。

伊恩的眼中充满了赞许。“干得好。”他抓起一把泥，然后转向了詹姆斯，“我来帮你。”

在贝克为自己伪装的同时，伊恩开始为詹姆斯涂泥。他把泥涂在了詹姆斯米色的T恤上。“你的T恤看起来像灯塔一样明显。”伊恩把手中的泥分给了詹姆斯一些，“在自己腿上也涂一些。”

在詹姆斯为自己的腿涂泥时，伊恩在自己的身上也涂上了泥。

利用这段时间，贝克已经选好了树。在詹姆斯和伊恩完成伪装时，贝克已经爬上了树。詹姆斯借助伊恩的力量，很快也手忙脚乱地跟了上去。

“我们不应该都在一棵树上。我去再找一棵树。”伊恩一边说一边走开了。

贝克和詹姆斯默默地相互看了一眼。贝克躺在了一根树枝上，詹姆斯则蹲在了树枝和树干交界的地方。对贝克来说，和一个曾经想杀死自己或者现在依然想杀死自己的人在一起是一种奇特的感觉。

詹姆斯睁大了眼睛，他看上去充满真诚。贝克很想相信詹姆斯的故事，但他也知道詹姆斯一直是个好演员。

贝克既想盯着詹姆斯，又想盯着偷猎者——这意味着他必须背对一方。最后，贝克认为偷猎者的威胁更大。于是，贝克在树枝上转了个身，这样他就可以直接看到地面上的偷猎者了。

偷猎者已经来到了空地上。

偷猎者来到了树林前，然后缓缓地散开了。他们绕着泥水的四周走了一圈。他们一边紧握着枪，一边凝视着树下的阴影。

贝克一动不动，他知道任何动作都可能让自己暴露。贝克不知道之前为什么没有把这个要点告诉詹姆斯。

贝克从未像现在一样对伪装如此依赖。伪装真的会成功吗？詹姆斯就在贝克的身边。他看上去伪装得并不好，只不过是一个中等个头、脸上到处抹着泥的少年。

但在数米之外凝视着树林阴影的偷猎者能够看到这一幕吗？这才是最关键的。

偷猎者用低沉的声音聊着天。虽然贝克并不懂葡萄牙语，但他还是轻松地从偷猎者充满压力的语气中听懂了一句话："他身上有武器。"偷猎者听起来很紧张。他们的确有理由感到焦虑不安。追踪身无寸铁的猎物是一回事，知道自己的猎物手里有枪，就在自己附近，而且躲在你看不到的暗处监视着你，这完全是另一种感觉。

下面不止有一个偷猎者。贝克可以听到其他偷猎者在树林中走来走去。在看到正下方出现了一名偷猎者后，贝克的心还是狂跳起来。他觉得自己甚至可以拿起树枝，把偷猎者的帽子捅掉。

詹姆斯动了一下，这让一小块树皮动了一下。树皮就

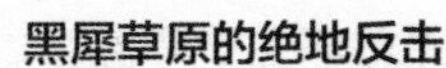

落在了偷猎者的脚下。

偷猎者停了下来，看了看四周。

然后，偷猎者走开了。

伪装的工作没有白做。

偷猎者在树林里搜寻了近一个小时。太阳落了下去，整个树林都被月光所点亮。对于偷猎者来说，找到猎物的难度从困难升级到了近乎不可能。贝克可以听到偷猎者的声音越来越大、越来越愤怒。贝克心想，如果他会葡萄牙语的话，说不定可以从他们的对话中学到很多葡萄牙语骂人的词。

突然，偷猎者消失了。几名偷猎者喊了几声命令，然后所有的人都撤走了。树林中已经没有了偷猎者的身影。贝克可以听到他们远去的声音。

詹姆斯用脚踢了贝克一下。贝克看了詹姆斯一眼。詹姆斯指了指下面，然后抬起了眉毛，仿佛在问一个问题：“我们可以下去了吗？”

贝克很高兴詹姆斯没有发出声响。偷猎者可能只是假装走开了，他们真正的目的可能是让贝克一行人现身……贝克摇了摇头。他们需要再等等。

突然，贝克看到月光下伊恩的身影朝他们走了过来。伊恩抬头看向贝克和詹姆斯旁边的树。“偷猎者走了。”

“我们在这里。”詹姆斯从树上说。他开始下树。

贝克没有听到偷猎者的喊叫声或枪声。他决定和詹姆斯一起下树。

“我们成功了！”詹姆斯的面孔仿佛在月光下闪闪发亮，“我们真的成功了！我们的计划太棒了！”

伊恩拍了拍贝克的肩膀。“干得好，孩子。我们刚才说到哪里了——”

贝克闻到了一股奇特的味道，这是人类才能发出的味道。他的鼻头抽搐了一下。“嘿，你们能不能闻到……”

呼！

在远处发出了火光。火绕着树林蔓延，所有的树叶间仿佛都有橙色的火焰。仅仅几秒钟，几乎所有的树都被点燃了。非洲的鸟类和昆虫在黑暗中发出了愤怒的抗议声。

“汽油的气味？”贝克这才说完了问题。

偷猎者应该是把汽油洒在了树林四周，然后把整个树林都点燃了。如果他们不能找到猎物，那么他们只能退而求其次，把他们直接烧死。

贝克、詹姆斯和伊恩被火包围了。

第十七章

贝克去哪儿了

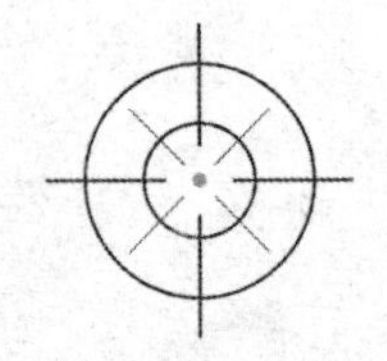

即使在火光的衬托下，伊恩看上去依然脸色苍白。

“这可不是个好消息。我们现在该怎么办？”

“我们能不能等火自然熄灭呢？”詹姆斯问，他来到了泥潭旁，“火不可能一直烧下去。而且，泥潭是肯定不会着火的。这里没有植物。”

詹姆斯说得对——火是不会蔓延到泥潭的。但让贝克担心的不只是火焰。贝克可以从空中闻到另一种能够威胁到他们的气体。他的喉咙已经开始有感觉了。

“你说得没错，但火会蔓延到泥潭四周，而我们会因为烟雾窒息而死。我们必须离开这里。”

在此之前，贝克有过一次类似的经历，那是一次在森林中进行的行动。在原始森林中，到处都是枯木和树叶，即使是一丝火花，都可能变成无法控制的野火。在一些地

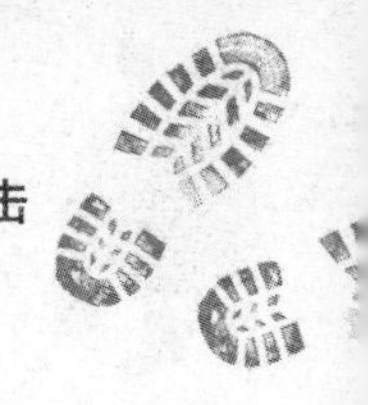

方，人们会每隔几年点一把可控的火，把森林中的易燃物烧光。有一次，阿尔伯伯被邀请前往美国的佐治亚州，就保护稀有树木进行演讲。他带上了贝克。在闲下来后，阿尔伯伯说服了当地的消防队员，让他带着自己和贝克参加了一场燃烧行动。对于贝克来说，那是一次宝贵的经验。现在，他希望自己能够努力记起之前自己学到的东西。

贝克在原地转了一圈，看了看四周让空气越来越热的火焰。火焰的热量让空气上升的速度比平常更快——这意味着空气正从四面八方向这里聚集。这使得火焰越来越旺，也让这里越来越热……

美国人曾教给贝克，最关键的是找到一个已经烧过的地方，那里不会再次燃烧。不幸的是，现在四周都是火焰，他们还是必须穿过火焰才能找到安全的地方。

去那里。贝克看到空地的另一端，火焰比其他地方颜色都要黯淡，而且也没有烧得那么高……只要树林间有一点空隙，他们就能穿过去，而火光正好把空隙照亮。

“我们要去那里。”贝克一边指着空地一边说。他转过头，快速看了眼詹姆斯和伊恩。“你们身上的衣物里有人工合成材料吗？任何不是棉花的物质？”

“这个……”伊恩指了指他的卡其布衬衫。

“快把衬衫脱了。衬衫会在火中熔化，然后变成炙热的塑料，贴在你的皮肤上。”

伊恩脱下了衬衫，他身上只剩下马甲。

“詹姆斯？”

“我的衣服是纯天然的。”之后，詹姆斯出乎贝克意料地蹲了下来，并用双手捧起了泥和一点点水。他把泥和水放在了自己的头顶，然后用手把它们涂在了自己的头发和脸庞上。“我们需要保护头部，对吧。”詹姆斯有点口齿不清，因为他必须闭着嘴才能保证自己不会吃到泥，“泥能够保护我们的皮肤……”

“做得好。”贝克说，詹姆斯真的已经具备了极强的生存技巧了，而且他还学会了新招数——在脸上涂泥并不是贝克教给他的。“把泥涂得多一点。”贝克在烟雾中对詹姆斯笑了笑，“你知道自己一直想这么做！”

贝克躺在地上，来回滚了几次，让全身沾上冰冷光滑的泥。之后，贝克和詹姆斯一样，也开始把泥往自己的头发和脸上涂。

“你也要这么做，伊恩……”

很快，他们准备好了——三个泥人已经做好了冲刺的准备。

“跟紧我。”贝克说，“我们要跑得快，但也要小心。所以我们不能以最快速度奔跑——我们不能被绊倒或失去方向。我们需要瞄准自己的目标，然后以小心为前提，尽量快速前进。”

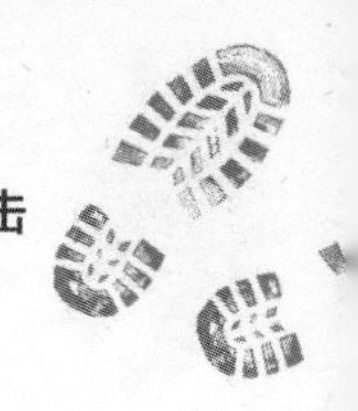

贝克立起了领子来保护自己的嘴巴和鼻子。“像我一样立起领子。这能为我们提供保护。”衬衫已经被泥浸透了，湿度能够挡住烟雾，“准备好了吗？”

“啊……”詹姆斯说，“但我们怎么才能确定我们的偷猎者朋友没有在外面等着我们自投罗网呢？”

贝克深吸了一口气，但在他可以回答之前，伊恩已经开口了。

“我们无法确定。”他直接说，“但如果我们在这里待下去，我们只有死路一条。另外，我不认为偷猎者会在这里埋伏。如果守护员看到了火光，他们很快会像野狗身上的跳蚤一样，把这里团团围住。偷猎者可不想被守护员看到。他们觉得点了火我们就死定了。”

“对。但是，”贝克说，“如果他们还在外面，我们还是要尽量早做准备。我们要尽可能利用烟雾、黑暗和混乱的状况来掩护自己。让我们走吧。”

在掩住了鼻子和嘴巴后……他们冲了过去。

贝克的动作完全违背了身体的本能。他们是在朝火焰冲过去，空气越来越热。他的眼睛和嘴巴能够感到越来越浓烈的烟雾。然而，贝克别无选择，他只能继续前进。

虽然贝克的目标是火焰最小的地方，但他们还是被火包围了。高大的树木全部被火点燃，四处都是树枝被烧焦

的声音。贝克小心地绕开了所有的树木。但火焰也点燃了灌木，偶尔也会烧到落下的树枝和树叶。

贝克觉得自己好像在一片埋着地雷的土地上奔跑。很多次，他正要迈步，却发现下面的地雷已经爆炸了。

贝克希望自己能够尽可能直线冲向目标，但过了一阵他就发现这是不可能的。他们必须左躲右闪，来回蹦跳，这样才能躲开无处不在的火焰。

空气越来越热，烟雾越来越浓，贝克觉得自己都快要无法呼吸了。大量的汗水顺着贝克的脸庞流了下来，汗水冲洗掉了他脸上的泥。贝克感到眼睛很难受，仿佛有昆虫正在叮自己。他眯着眼睛，用手背擦了一下。因为周围的烟雾，贝克已经看不清自己的方向了。

贝克只能凭借自己的直觉，而直觉告诉他，他正在朝正确的方向前进。

然后——砰！

贝克痛苦地喊了一声。他跌倒在地上，仿佛有人刚刚用棒球棒重重击中了他的肩膀。有什么重物压住了贝克。贝克隐隐感到詹姆斯和伊恩跑了过去。他们看到贝克摔倒在地。

贝克企图呼唤他们，但他只能发出喘息声。贝克不敢大口吸气。他不愿吸入烟雾。

贝克努力转动了下身体。一根落下的树枝砸到了他

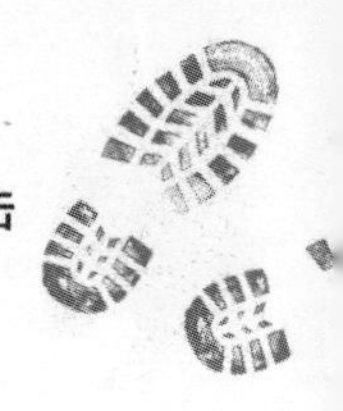

的大腿上。贝克很幸运，树枝并没有对他造成太大的伤害——如果树枝落下的地方再偏几厘米，那么贝克肯定会被砸晕。

但贝克很快惊恐地发现，树枝上的树叶都着火了，而且火在不断蔓延。

不！

贝克努力想用胳膊把身体撑起来。贝克浑身每一个关节仿佛都在疼痛，后背的瘀伤也在疼痛，但他还是抬不动树枝。贝克努力看了树枝一眼，火已经开始接近他了，他能够感到火发出的温度。

贝克体验过很多种疼痛——划伤、瘀伤、骨折。但贝克只有一次差点被烫伤，那是在他还不懂事的小时候，当时他不知为什么开始拿火炉玩耍。从那之后，贝克就知道了火的厉害。现在，贝克被困在了地上。他被压得完全无法移动。如果不能尽快做点什么，那么他就会被烧死。

贝克又努力推了下地面。贝克咬着牙，忍住了来自肌肉的剧痛。

“啊！”

突然，一双脚在贝克面前出现了。贝克抬起了头，他看到詹姆斯的眼神中露出了奇特的神色。

在这一瞬间，贝克仿佛已经远离了非洲，远离了这片正在燃烧的树林。贝克觉得自己仿佛来到了大洋中的钻井

平台。詹姆斯就在贝克身边，他们一起想要努力抬起压在詹姆斯母亲身上的金属支架。但对于两个男孩来说，支架太重了。

那是此次重逢之前贝克最后一次看到詹姆斯。

贝克的意识又回到了非洲。詹姆斯正在凝视着地面上的贝克。现在轮到贝克被压在树下无法动弹，只有死路一条。

贝克感到身上的重量仿佛有些移动了。他回过头，看到詹姆斯抓起了树枝还未燃烧的另一端。詹姆斯用双臂抱紧树枝，他咬紧牙关努力移动树枝。

“动一动！”詹姆斯喊道。贝克把肘部放在地面上，努力地慢慢爬开。树枝还在压着贝克，他只能移动几厘米的距离。

“接着爬！”

“我在努力！”

“我要松手了——我抓不住……”

然后，伊恩冲过烟雾走了过来。他看了一眼两个男孩，然后开始帮助詹姆斯。两人合力举起了树枝，贝克终于慢慢爬了出来。

贝克努力想要站起来，但他背后的瘀伤仿佛在抗议。

“帮他一把。”伊恩用命令的语气对詹姆斯说。

他们来到了贝克两侧，用胳膊抱住了贝克的肩膀，然

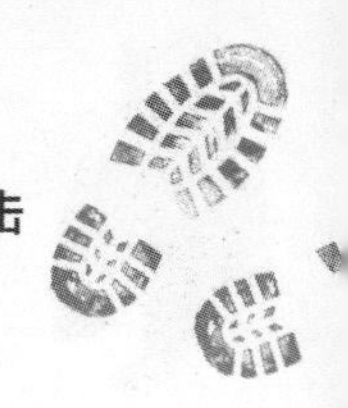
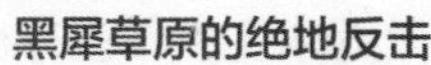

后架起贝克，帮助他一瘸一拐地离开了树枝所在的位置。

当贝克一行三人逃离了火海后，他们一起瘫倒在地，不停地咳嗽。他们每次呼吸肺部都会发出尖锐的声音，胸口也会不断起伏。

在很长一段时间里，没有人开口说话。

终于，伊恩先站了起来。他帮助贝克和詹姆斯缓慢地走到了之前贝克被野犬困住的岩石附近。对于他们三个来说，这块岩石是个不错的标记。

“偷猎者看来已经不在了。”伊恩说，“这是个好消息。好——你们两个在这里待一会儿，休息一下。我接下来要做的事可能要花点时间……”

伊恩消失在了夜色中。他开始寻找之前停在隐蔽之处的黑色吉普车。

在很长一段时间里，贝克和詹姆斯只是静静地坐在地上，呼吸着新鲜的空气，看着 200 米外的树林继续燃烧。幸运的是，火焰没有蔓延。地面足够潮湿，形成了天然的防火道。然而，浓密丑陋的烟雾掩盖住了天上的星星。除了他们三个之外，树林中恐怕没有别的动物能够逃生。

詹姆斯轻推了贝克一下，脸上露出了灿烂的笑容。“现在你信任我了吧？”

贝克疲倦得说不出太多话来，但他还是冲詹姆斯笑了

笑。“对……我信任你。谢谢。”

两个人又沉默了。

“接下来，我们要做什么？”贝克问，“你把我从伦敦叫出来不只是为了救我一命——但就这件事，我也要谢谢你。你让我来到南非是有目的的。你刚才说到要报复路莫斯？”

“这是我们接下来的计划。你的阿尔伯伯需要回到伦敦，告诉所有人你已经死了。伊恩将回到路莫斯，成为我们的卧底。我也要回去，成为被宠坏了的路莫斯继承人。”

贝克微微一笑。“那我呢？”

“你先暂时藏起来。好好利用这段匿名生活吧！”

“但……你还没有告诉我，我们的最终计划。我们将如何和路莫斯展开战斗？”

“哦，我们要抓住他们的把柄。”詹姆斯充满自信地说，“他们行贿、杀人……我们必须找到证据。”

“怎么找？”

“哦，”詹姆斯脸上的表情略微有些暗淡，“这就是问题所在。我们需要去找证据……”在听到引擎声离他们越来越近后，詹姆斯停了下来，“太好了，伊恩回来了。”

对于贝克和詹姆斯来说，看到两个车灯朝他们靠近的感觉太棒了。这意味着偷猎者之前没有找到吉普车。

伊恩把车停了下来，然后把头探出了窗户。“我在听守护员的广播，已经有公园着火的消息了。天一亮他们就

会马上赶到这里。这可不是个好消息。”

“为什么？”贝克问道。

伊恩斜着眼看了下贝克。“或许你忘了，孩子，你已经死了。我们必须继续让人们认为你已经死了。”

贝克和詹姆斯爬上了后座。伊恩驾车驶向了草原。

“好的……”贝克仿佛对他们的计划越来越了解了。这是个不错的计划。“我已经死了。但等一下——我们要找到萨穆拉，然后回到阿尔伯伯身边。他一定已经快要发疯了。”

贝克突然充满了罪恶感，因为眼前接二连三的事件，他已经有几个小时没有想到萨穆拉了。“她肯定还以为……我被野犬吃了……”

贝克的声音越来越小，他看到一张不高兴的面孔（詹姆斯）和一张严肃而全无表情的面孔（伊恩）在盯着他。

“什么？”伊恩问。

“你不能告诉他们，贝克。”詹姆斯用温柔的语气说，“他们也必须相信你已经死了。”

“不行！”贝克直接否定了詹姆斯的建议，“他们能够保守秘密。他们能够——”

“贝克，”伊恩用严厉的语气说，“你确定萨穆拉是个好演员吗？我可不那么认为。路莫斯肯定会全力以赴进行调查。他们会调查每一个细节，希望找到任何一个细微的

漏洞。只要我们有一点破绽，路莫斯就能摧毁我们的计划。萨穆拉和你的伯伯必须相信你已经死了，这样路莫斯才能在看到他们后不产生疑心。在一切结束后——那时，我们可以把真相告诉他们。”

贝克呻吟了一声。他知道伊恩说得有道理，但他觉得这样做太残忍了。贝克知道失去亲人是什么滋味。贝克不想自己的朋友也经历这样的事，特别是这件事还涉及欺骗。

而阿尔伯伯……贝克又怎能这么对阿尔伯伯呢？

“把你们的计划告诉我。”贝克小声说，“从怎么找到证据说起。听完你们的计划后，我再决定是否要对阿尔伯伯和萨穆拉隐瞒真相。”

“不。”伊恩一口否定了贝克的建议。

“说吧。”詹姆斯说。这是贝克第一次听到詹姆斯用命令的语气说话。詹姆斯一直是作为路莫斯的继承人被培养的。虽然詹姆斯一直很抗拒这一点，但肯定有人教会了他做领导的方式。

伊恩先是沉默了片刻，然后耸了耸肩。“你说了算。”

“总有一天……”詹姆斯靠向贝克，露出了狡诈的微笑，他抬了抬眉毛，“你……去过喜马拉雅山吗？”

第十八章
尾　声

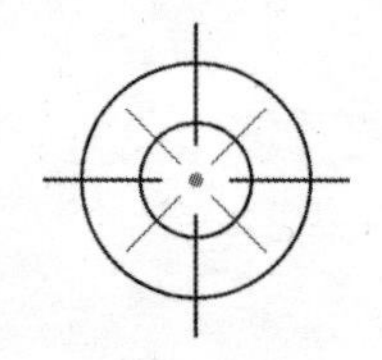

“我的名字是贝克·格兰杰。我曾在世界上最危险的环境中活了下来。但现在，南非的犀牛也面临着同样的挑战。”

屏幕上显示的是贝克的面孔。他眯着的眼睛露出了坚定的表情。微风轻轻吹着贝克的头发。

镜头放大了。贝克其他的身体部位也在屏幕中出现了。在贝克身后，一只犀牛悠闲地走着。贝克先是回头看了眼犀牛，然后又回过头对着镜头。

“有些人会说我们的努力注定是徒劳的——一切已经太晚了。但我从自己的探险经历中学到了一个最宝贵的信念：‘永不放弃。’不论现在情况看起来多么糟糕，我们都绝不能放弃。”

屏幕上的画面停了下来，然后贝克的影像消失了。一个穿着时尚的女人取代了贝克。她手中拿着一个画着新闻电视台标志的话筒。女人表情凝重地看着镜头。

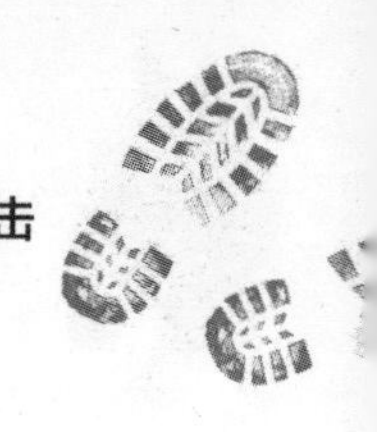

“这是贝克·格兰杰留下的最后影像。在那之后不久，贝克就消失了。贝克曾来到南非，他和野生动物专家阿西娜·萨普拉录制了我们刚才看到的录像。他希望通过录像让人们了解野生犀牛所面临的危险。虽然贝克可能已经不在人世，但他获得了意想不到的成功。”

镜头被切换到了约翰内斯堡的一个法庭前。警方押着三名戴着手铐的男人走进了法庭。他们四周围着许多记者。女人的声音作为画外音描述了镜头中的影像。

“贝克和他的朋友萨穆拉·彼得森获得的重要证据帮助警方逮捕了偷猎犀牛的犯罪团伙。警方已经逮捕了三个人，并且计划在未来逮捕更多的嫌疑人。如果这些嫌疑人被判有罪，那么提供信息的萨穆拉将有可能获得 100 万兰特。彼得森家族的发言人已经宣布，如果萨穆拉获得这笔奖金，她将把奖金退还并继续致力于抵制偷猎行为。”

镜头中，萨穆拉在父亲伯加尼和其他几名守护员的陪同下一起来到了法庭。这几名守护员都强壮高大，他们来这里就是为了将记者挡在一旁。虽然如此，拿着麦克风的女人还是挤了过去。

“萨穆拉！萨穆拉！你最后一次看到贝克·格兰杰是什么时候？”

一名守护员盯着女人，仿佛随时准备把她推到一旁，但萨穆拉阻止了他。萨穆拉用自己还略显红肿的眼睛盯着

镜头。萨穆拉的声音很平稳，但每个人都可以听出她是尽了多么大的努力才不哭出来。

“我和贝克被一群野犬盯上，我认为他故意让自己成为目标，把野犬从我身边引走了。”萨穆拉的声音开始颤抖，“他是我见过的最勇敢的男孩……”萨穆拉顿了一下，然后继续说，“不，他是我见过的最勇敢的男人……”

在萨穆拉哭出来之前，一名守护员把她带到了一旁。镜头没有继续跟着萨穆拉移动。

女人回到了镜头中。她现在来到了克鲁格国家公园。

“我们的电视台试图联系贝克的监护人艾伦·格兰杰教授。他因为情绪不稳定，并不出镜接受我们的采访。但格兰杰教授发表了这份声明。”

女人拿着一张纸读了起来。

“虽然明知机会渺茫，但我希望贝克还活着。随着时间的推移，我知道得到好消息的概率在不断下降。我很尊重贝克的生活，他的价值观，以及他对保护世界的投入。我知道他的光阴没有虚度，并且注定会激励无数的年轻人。”

女人最后严肃地看了镜头一眼。

“这是塞雷娜·沃斯特的报道，让我们把镜头切回演播室——”

一个人按了下遥控器，屏幕中的影像消失了。

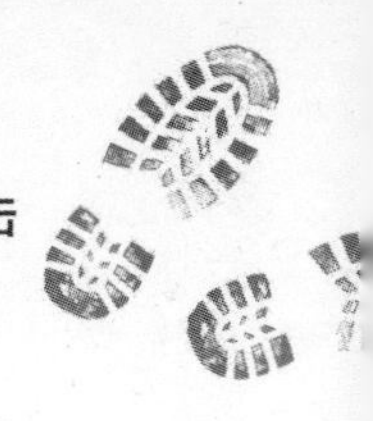

橡木装饰的办公室中，一个高大消瘦的老年男人笑了。除了头顶两侧的白发，他已经完全谢顶了。老人的脖子细长，双肩下垂。

埃德温·布雷克总是让伊恩想起他在南非见过的正在吃腐肉的秃鹫。在埃德温笑起来时，他的嘴会一点点做出细微的动作，仿佛每一个部位都需要回忆自己要做的动作。

“让我看看你带回来的纪念品。”埃德温说。

伊恩从脚旁的塑料袋中拿出了一件卡其色衬衫。衬衫已经碎得七零八落，而且已经被血浸透。被晒干的血迹已经变成暗棕色。

“DNA 测验已经证实血迹就是贝克的。”

衬衫上的血的确是贝克的。在约翰内斯堡时，贝克让一名医生从他身上抽取了这些血。抽血是贝克的主意。

老人充满敬畏地接过了衬衫，仿佛在拿一件圣物。“你看到他是怎么死的了吗？”

伊恩摇摇头。“我去得太晚了，布雷克先生。但我听到了他的尖叫，他被野犬撕碎了。”

埃德温沉默了片刻。他闭上了眼睛，身子开始左右摇摆。看上去，埃德温仿佛在欣赏来自远方的美妙音乐。

“贝克·格兰杰终于从我们的生命中完全消失了。”在睁开眼睛后，埃德温把衬衫还给了伊恩。

“把衬衫烧了，然后好好休息下。明天再过来。贝克终于死了，我们有太多的事情需要做。”

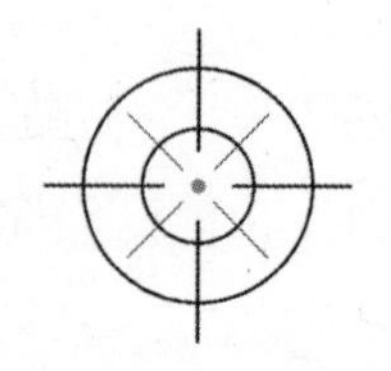

贝尔·格里尔斯的求生技巧

制作编织绳

把纤维编织在一起就能制作绳子。

第一步

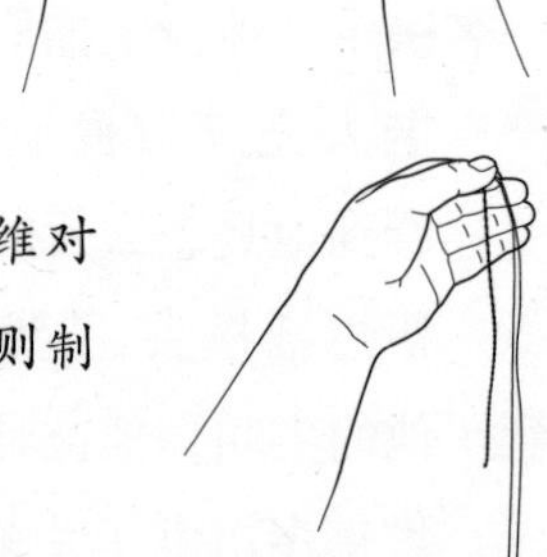

找到一条单一、长度适中的纤维。不断朝一个方向拧纤维，直到纤维自动打结。

第二步

在纤维三分之一长的地方把纤维对折。不要让纤维的两侧长度相等，否则制作出来的绳子会质量较差。

第三步

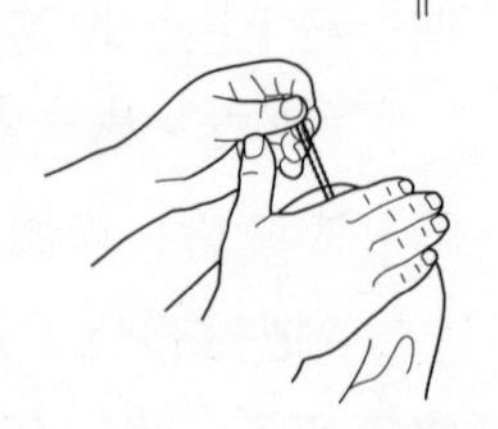

用一只手的大拇指和食指捏住纤维。把折叠起来的纤维放在大腿上，用另一只手的手掌将纤维朝远离你的方向搓转一圈。这一步的目的不是让整个纤维折叠，而是为了让两股纤维缠在一起。

第四步

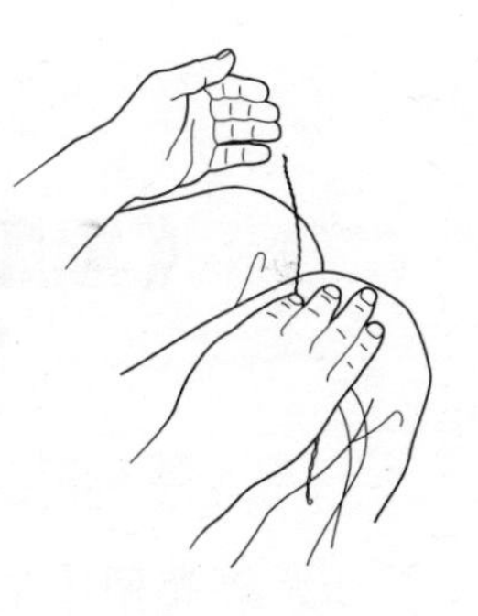

手掌心朝下，按住纤维，不要让缠在一起的纤维散开。放开另一只手，现在两股纤维应该已经缠在了一起。

第五步

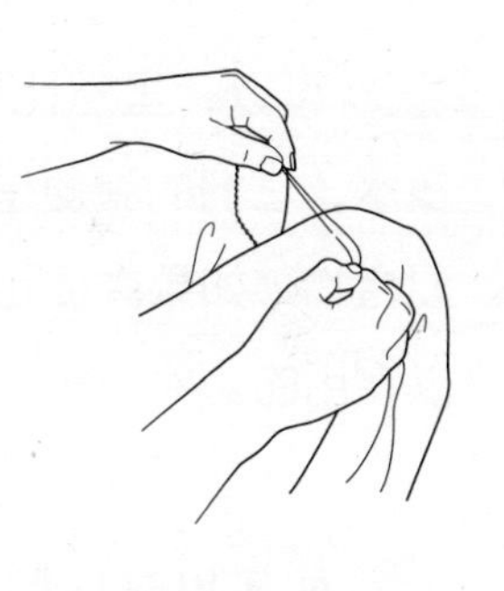

用手指捏住缠在一起的纤维，不断重复上述过程，直到离较短纤维的尾端四五厘米的地方都已经缠在一起。接下来，把另一根纤维放在较短纤维余下部分的旁边，然后重复上述过程——新的纤维就会和已经形成的绳子缠在一起。在把所有纤维都缠在一起后，把两端打结以防止纤维脱落。如果绳子太粗以至于无法打结，你可以把它的一端用另一根绳子捆住。

制成的绳子应该比纤维结实很多，但你可以再把绳子对折并重复上述过程，这会让绳子更加坚固，不过要注意，这次拧绳子的方向必须和之前相反。

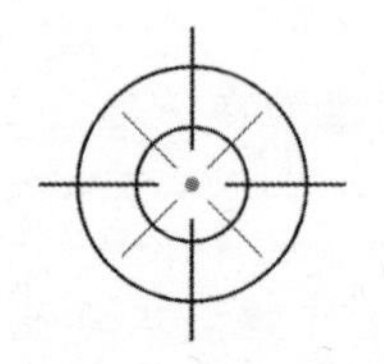

《黑犀草原的绝地反击》求生实用秘籍

大象粪便中的水可以饮用吗？

可以，虽然比较恶心。大象需要吃很多植物，喝很多水，它们的粪便是咀嚼消化过的草、树枝还有胃液等的混合物，如果粪便足够新鲜，那么挤压粪便得到的水是可以饮用的。

如何用斑马肋骨做一把刀？

把斑马肋骨固定好，用石头砸成几段，骨头断裂的边缘会很锋利，你可以挑选最锋利的一段，再用石头将它磨得更加锋利，就可以用它来切割东西了。你也可以找一根木棍，将骨头刀的下部和木棍捆到一起，只让刀锋露出来，这样手握比较方便，不至于不小心割破手掌。

如何利用三角支撑的原理过河？

如果河水太急太深，人过河时很容易站立不稳，被水冲倒。此时，利用三脚架原理过河，不失为明智之举。先找一根结实的木棍，进入河水后，木棍和两条腿会形成三个支点，大大提高稳定性。确保每一步都有两个支点在河床上，并且每一步站稳之后，再迈出另一步。在过河时，要面对上游侧着走，这样如果有木头或其他物体从上游冲向你，你可以事先避开。

注意，若穿着衣服过河，衣服浸透河水后会更为沉重，而上岸后，你需要马上换上干燥衣物，所以，你最好尽可能把身上的衣服脱光，包括袜子，全放到塑料袋或背包中。但是不要脱鞋，因为河底可能有尖锐物品，容易划破赤裸的脚，河底石子也比较滑，赤脚会让你站不稳。

如何利用倒下的树做一个庇护所？

选一根树干上的树枝，往下拉至地面，固定好，这样便在树枝、地面和树干之间，形成了一个三角形空间，用树枝、树叶将其两侧挡住，你就可以入住了。

什么是蛇洞生火法?

在地上（最好是斜坡）挖出一个洞，在洞顶上方再垂直挖出一个细洞（相当于烟囱），让两个洞贯通。将柴火堆积在洞里面，然后点燃。火堆只能从两侧的洞中获得空气，所以会减少烟雾的产生。而火也是在洞中燃烧，减少了被发现的可能性，并且热量集聚在洞中，像烤箱似的，可以很快把食物烤熟。

在野外，如何储存食物?

食物的气味会引来不速之客，所以，无论什么时候，都要隐藏食物的气味，把它们放在背包中，或者包裹在树叶、衣服里。特别注意，不要把食物存放在你的帐篷或庇护所中，在森林中，这样做的危险性你可以想象出来。比较好的方式是，把食物包裹好，挂在离帐篷很远的树枝上。

怎样抓取蚁丘中的白蚁?

白蚁是可以食用的，而且蚁丘中有数以百万计的白蚁，不啻为一顿大餐。所以，如果你想饱餐一顿白蚁，方法很简单，找一根树枝插进蚁丘中，然后转动或摆动，这会让白蚁本能地去咬住树枝。等一会儿把树枝拿出来，你

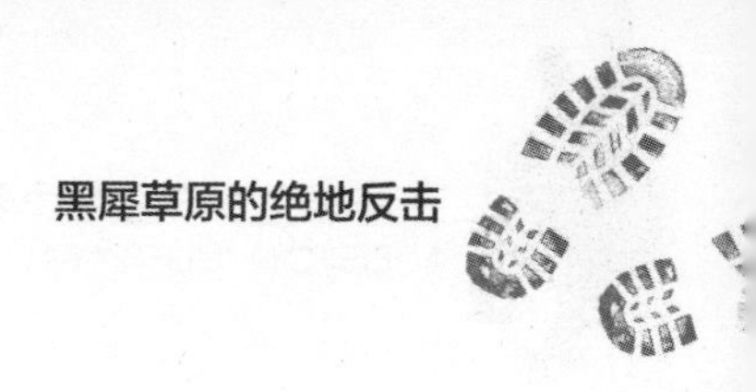

会发现上面爬满了白蚁。

怎样用南十字星座辨别方向？

在北半球可以用北极星确定方向，但在南半球是看不到北极星的，所以利用星空来辨别方向，你需要寻找南十字星座。南十字星座由四颗星星组成，呈“十”字排列，也像一把匕首。要找到南十字星座，你可以顺着南半球的银河，先找到一块补丁轮廓的暗色的星云，那就是煤袋星云。南十字星座就在煤袋星云旁边。此时，如果南十字星座垂直于地面，你可以从匕首把儿画出一条线，往地面延伸，与地面的交接点即南方。如果南十字星座是倾斜的，可以把匕首把儿往地面延长五倍左右，然后从这里垂直往下与地面相交，交点就是正南方。

怎样收集草地上的露水？

露水的收集很简单，可以拖着衬衣或 T 恤在草地上走，或者把衣服绑在脚上从草地上走，都能把露水吸附到衣服上，然后就可以把水拧出来饮用了。但要注意，露水一般在夜里生成，日出后会随着温度的升高而蒸发，所以想要喝到露水，你要早点起床。

如何选择合适的生火地点？

主要考虑两大要素：风的影响和距离营地的远近。如果生火的地方风势很大，那么就难以生火，生起后也容易熄灭或导致火灾，所以要选在无风或者可以避风的地方。而距离营地的远近决定了你能否充分享受到火的温暖，以及照料火堆的难易程度。如果半夜起床需要走很远才能给火堆添柴，那就太糟糕了。所以，生火地点不能离营地太远，最好是触手可及的地方。

在野外，怎样保存肉类？

如果你在野外获得了新鲜的肉类，那么，在饱餐一顿后，如何保存剩余的肉类就成为一个问题——肉类很容易腐烂。所以，不要带着生肉上路。将肉全部烤熟，或者用烟熏的方式让肉变干，都会大大延长保存时间。

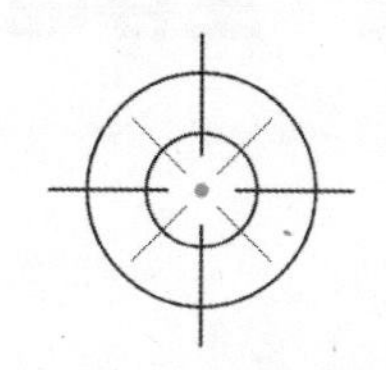

“生存任务对战牌”使用说明书

基本信息：单册附赠4张卡牌

游戏人数：2人

游戏时间：5—10分钟

游戏规则：

1. 洗牌，摸牌。

2. 玩家自行决定谁先出牌。先出牌者，决定第一回合的对战项目为“致命指数、体形指数、力量指数、生存能力、恐怖指数”中的任何一项，然后双方各出一张牌，根据所选指数的数值大小分出胜负，赢者将对方卡牌收走。

3. 第二回合由上一回合后出牌者决定五大指数中的任一项作为对战项目，分出胜负。第三回合、第四回合依此类推。

4. 每一回合对战结束后，赢家将本回合使用过的两张卡牌收起，不能在后面的回合中继续使用。

5. 所有对战回合结束，视为一轮结束。此时，玩家可自行决定是否用已收起的卡牌进入下一轮对战。

6. 所有对战结束后，根据玩家手中卡牌数量多少，分出胜负。

“荒野求生”生存能力大测试

	A. 我知道	B. 我不知道
1. 生存技能的基石是什么?	□	□
2. 如何制作简易木筏?	□	□
3. 出门远行或野外探险，首选的定位设备是什么?	□	□
4. 如果没有指南针，该如何判断方向?	□	□
5. 如何用鱼做防晒霜?	□	□
6. 在野外环境中，怎样最大限度地“使用”一条鱼?	□	□
7. 如果没有鱼钩钓线，怎么钓鱼呢?	□	□
8. 如何用镜子发出求救信号?	□	□
9. 椰子汁可以喝，椰肉可以吃，是否上佳的食物?	□	□
10. 为什么在野外探险时要随身携带打火石?	□	□
11. 在森林环境中，怎样选择生火材料?	□	□
12. 怎样获取藤蔓和竹子中的水?	□	□
13. 在雨林中应该如何行走?	□	□
14. 当被扁虱这样的小虫咬到时该怎么办?	□	□
15. 在森林环境中如何选择合适的宿营地?	□	□
16. 如何和同伴一起安全渡过急流?	□	□
17. 如何应对吼猴?	□	□
18. 如何避免遇到蛇?	□	□
19. 同伴脑部受到碰撞，如何判断他是否有脑震荡?	□	□
20. 遇到危险时，如何让前来搜救的人更容易发现自己?	□	□

	A.我知道	B.我不知道
21. 在寒冷环境中，电池快没电了，怎样才能延长电池的使用时间?	□	□
22. 遇险后，应该如何取舍你的物资?	□	□
23. 在寒冷的地方，衣服穿得越厚越好吗?	□	□
24. 怎样选择一根好的木棍辅助走路?	□	□
25. 在森林中遇到棕熊怎么办?	□	□
26. 如果遇到黑熊怎么办?	□	□
27. 在冰原上求生时，如何寻找食物?	□	□
28. 如何在没有渡河工具的情况下渡过冰冷的河流?	□	□
29. 在冰雪环境中，口渴了可以吃雪吗?	□	□
30. 如何利用绳索安全地渡过冰川或冰湖?	□	□
31. 怎样过冰桥?	□	□
32. 如果不小心掉进冰窟窿，上来后要如何做?	□	□
33. 如何食用冰原上的驯鹿苔藓?	□	□
34. 如何用塑料瓶捕鱼?	□	□
35. 如何在不生火的情况下，享用淡水鱼大餐?	□	□
36. 如何在冰天雪地中晾干衣服?	□	□
37. 如何制作雪鞋?	□	□
38. 在沙漠里迷失方向后，如何避免兜圈子?	□	□
39. 在饮用水不够的情况下，要如何喝水?	□	□
40. 在强烈的阳光下，如何防止头部被晒坏?	□	□
41. 在阳光强烈的炎热环境中，如何保持身体的水分?	□	□
42. 在沙漠中赶路要注意什么?	□	□
43. 如何对付毒蝎?	□	□
44. 在沙漠地区，夜间如何选择宿营地?	□	□
45. 如何在干燥的地区寻找水源?	□	□

	A.我知道	B.我不知道
46. 如果找不到水源，该如何获得饮用水?	□	□
47. 如何制作露水收集器?	□	□
48. 野外中暑怎么办?	□	□
49. 干渴了很久，突然找到水源，要如何饮用?	□	□
50. 沙漠中什么东西可以食用?	□	□
51. 如果实在找不到水，怎样让自己的干渴状况得到缓解?	□	□
52. 怎样用玻璃制作一把刀?	□	□
53. 爬树和攀岩的原则是什么?	□	□
54. 野外生存的四个关键要素是什么?	□	□
55. 为什么要克服幽闭恐惧症?	□	□
56. 为什么吃虫子、蜥蜴或蛇时，要把它们的头去掉?	□	□
57. 在森林中架床，为什么要远离地面?	□	□
58. 为什么要躲避火山喷发造成的火山烟雾?	□	□
59. 为什么沿着河流能够走出雨林?	□	□
60. 为什么要小心浑浊的河流?	□	□
61. 如何收集雨水?	□	□
62. 如何把食物运到树上?	□	□
63. 白蚁能吃吗?	□	□
64. 如何用裤子捕鱼?	□	□
65. 怎么制作简易指南针?	□	□
66. 穿过芦苇地时，为什么要倒着走?	□	□
67. 被海胆扎脚后该如何处理?	□	□
68. 怎样用火求救?	□	□
69. 缺水会有什么后果?	□	□
70. 在炎热地区，为什么要避免用嘴呼吸?	□	□

	A.我知道	B.我不知道
71. 怎样追踪足迹?	☐	☐
72. 尿可以喝吗?	☐	☐
73. 怎么烤蛇肉?	☐	☐
74. 为什么在干涸的河谷盆地里要小心下雨?	☐	☐
75. 船只失事，使用救生艇的四个程序是什么?	☐	☐
76. 什么时候可以发信号弹求救?	☐	☐
77. 在救生艇上，怎样合理安排人力划船?	☐	☐
78. 什么是最原始的钻木取火的方法?	☐	☐
79. 怎样用T恤衫从海水中取得淡水?	☐	☐
80. 鲨鱼有弱点吗?	☐	☐
81. 怎样用帆布修补开裂的船?	☐	☐
82. 如何利用星星确保行船的方向?	☐	☐
83. 遇到鲨鱼，为什么要把珠宝首饰藏起来?	☐	☐
84. 怎样判断鲨鱼是在戏水还是攻击?	☐	☐
85. 大象粪便中的水可以饮用吗?	☐	☐
86. 如何用斑马肋骨做一把刀?	☐	☐
87. 如何利用三角支撑的原理过河?	☐	☐
88. 如何利用倒下的树做一个庇护所?	☐	☐
89. 什么是蛇洞生火法?	☐	☐
90. 在野外，如何储存食物?	☐	☐
91. 怎样抓取蚁丘中的白蚁?	☐	☐
92. 怎样用南十字星座辨别方向?	☐	☐
93. 怎样收集草地上的露水?	☐	☐
94. 如何选择合适的生火地点?	☐	☐
95. 在野外，怎样保存肉类?	☐	☐

请计算你的最终得分：　　A=1分　　B=0分

测试结果

0—20分

你知道少量的野外生存技巧，但这远远不够，野外环境对你来说太危险了，请继续读书吧，看看贝克是怎么做的。

21—40分

你知道一些野外生存知识，只凭这些在野外将会艰险无比，你还要向贝克学习更多东西。

41—60分

你对野外生存有不少认识，但不足以让你从容应对危险，想成为贝克那样的探险家，请继续努力吧。

61—80分

你知道很多野外生存技巧，懂得不同环境下该如何照顾自己，你将会成为贝克的得力助手！

81—95分

你具备了成为一名野外生存专家的潜质，也许，你就是下一个贝克！

本测试所有答案均可从“荒野求生少年生存小说系列”中找到。

警告

野外生存不仅需要丰富的生存技巧，还需要坚韧的意志力、强悍的体力、永不放弃的决心和随机应变的智慧等等。对生存技巧的学习，是成为一名出色的野外生存专家的第一步，未来你需要学习的还有很多。仅凭对生存技巧的“纸上谈兵”，会让你在野外环境中艰险无比，请勿轻易涉险！

“荒野求生少年生存小说系列”中讲述的大量生存技巧，多应用于危险的野外环境中，经过了作者的实地探险和亲身验证，除非经过专业人士指导和训练，请勿在日常生活中随意模仿。

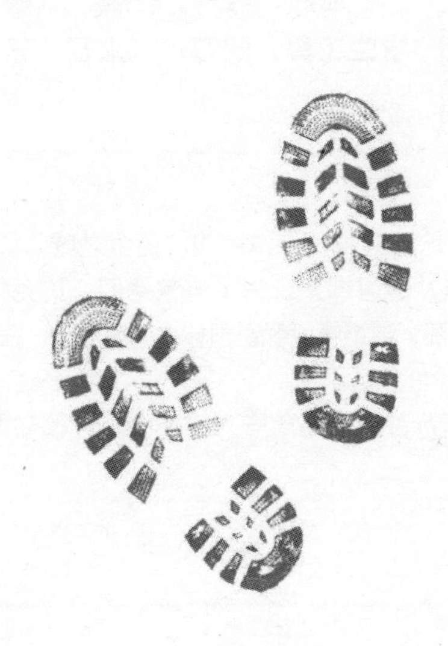

荒野求生少年生存小说系列介绍

巨蟒丛林中的黄金密码

地点： 哥伦比亚雨林
危险： 巨蟒、鲨鱼、吼猴
求生工具： 砍刀、打火石、床单、自制木筏

贝克和阿尔伯伯来到哥伦比亚寻找传说中的“黄金之城”。

阿尔伯伯和市长莫名其妙遭遇绑架，为了解救他们，贝克和双胞胎兄妹必须自制木筏渡过鲨鱼出没的大海，建造帐篷躲避雨林中的美洲豹，在瓢泼大雨中用树皮保存火种……

然而，当他们历尽千辛万苦抵达印第安人的圣城，神秘劫匪已经提前一步等候他们……

白狼荒原上的三天三夜

地点： 阿拉斯加山脉
危险： 冰风暴、白狼、急流险滩
求生工具： 猎刀、打火石、 塑料瓶、绳索

贝克一行三人秘密前往北极圈，飞机遭遇冰风暴，坠落在阿拉斯加冰原上。

阿尔伯伯腿部受伤，为了寻求救援队的帮助，贝克和小伙伴缇堪尼必须挖掘雪洞躲避暴风雪，用自制的绳索爬过冰桥，用驯鹿苔藓充饥……

可是，在杳无人迹、万年冰封的阿拉斯加山脉上，贝克震惊地发现，有一个模糊的狼影，始终跟随着他们的脚步……

毒蝎沙漠里的钻石罐头

地点：撒哈拉沙漠

危险：走私者、中暑、毒蝎

求生工具：降落伞、折叠刀、水瓶、斧头

在非洲旅行的贝克和好朋友彼得，无意中发现钻石走私者的秘密，被迫跳伞误入了炎热的撒哈拉沙漠。

在这片死亡之地，贝克和彼得想要走出去，必须借助星空辨别方向，寻找岩石度过寒冷黑夜，在太阳升起前用石头取水……

当他们历尽艰险来到一个古老的村庄，认为自己获救了的时候，走私者却拿着枪出现在门口……

猛虎火山的生死逃亡

地点：印度尼西亚雨林

危险：非法伐木者、老虎、火山岩浆

求生工具：打火石、玻璃、裤子、自制指南针

在东南亚小岛上度假的贝克和好朋友彼得，在深入参观自然保护区时，被突然喷发的火山岩浆围困。

为了重返文明世界，他们用手表制作指南针走进芦苇重重的黑水沼泽，钻进红毛猩猩的巢穴躲避树影中的猛虎，用裤子制作布兜捕捉火山湖中的游鱼充饥……

然而，丛林中的非法伐木者发现了他们的踪迹，为了隐藏犯罪证据，伐木者们开始追逐两个手无寸铁的男孩……

怪鳄河谷的远古壁画

地点：澳大利亚内陆

危险：骤发山洪、咸水鳄鱼、毒蛇

求生工具：自制树屋、打火石、砍刀、水瓶

一条来自社交网站的神秘私信，让身在澳大利亚的贝克开始调查父母失踪的真相。然而，他却被卷入一场阴谋。

为了拿到幕后黑手的罪证，贝克必须进入澳大利亚腹地寻找原住民部落的长老。他要追踪足印找到正确的方向，建造树屋躲避突如其来的洪水，提防随时可能扑来的咸水鳄鱼……

可是，当贝克历尽艰险终于到达了神秘的藏宝洞，他看到黑洞洞的枪口对准了自己。

狂鲨深海的复仇行动

地点：加勒比海域

危险：虎鲨、蜈蚣、脱水、飓风

求生工具：救生艇、帆布、T恤衫、船桨

为了逃避媒体的围追堵截，贝克登上了一艘游轮，驶往加勒比海度假。

突然，所有船员都消失了。紧接着，游轮神秘爆炸，贝克和乘客都陷入了绝境。为了在鲨鱼出没的海域活下去，贝克要用帆布修补开裂的救生艇，用T 恤衫从海水中提取淡水，观察海鸥，寻找陆地……

没想到，即将获救之际，贝克才知道他已经陷入了一个可怕的复仇陷阱。

黑犀草原的绝地反击

地点：南非草原

危险：偷猎者、非洲野犬、火灾

求生工具：椅子腿、骨头、泥巴、树枝帐篷

贝克和阿尔伯伯受邀来到南非草原拍摄保护犀牛的公益宣传片，并借机躲开路莫斯公司的袭击。

然而，贝克发现草原之行竟是路莫斯公司继承人詹姆斯的安排！为了从草原上逃离，贝克和萨穆拉不得不躲避犀牛偷猎者的枪口，为隐藏自己，采用蛇洞生火法，从大象粪便中取水，利用泥巴进行伪装……

但从森林大火中死里逃生的贝克，却最终同意与詹姆斯联合，一场秘密的绝地反击拉开了帷幕……

贝克的下一站会是哪里？